令和7年版

8 民事訴訟法・民事執行法・民事保全法・供託法・司法書士法

はしがき

＜本書のねらい＞

資格試験における短期合格の鉄則は、試験の出題傾向に合致した学習をすることです。司法書士試験もその例外ではありません。その意味で本試験に過去出題された問題は、試験合格のための参考資料の宝の山といえます。合理的学習の第一歩として、頻出とされる知識を「繰り返し」学習することにより、その出題内容と内容の深さの程度や、出題傾向を把握することが重要となります。本書は今後出題されることが予想される重要な過去問を選び出し掲載することにより、「繰り返し」学習を効率的に行うことが可能となっています。

＜本書の特長＞

⑴　膨大な過去問から本当に必要な知識を厳選し、体系別又は条文順に配列し直して掲載しました。また解答を導き出すのに必要な知識を解説部分にコンパクトにまとめて掲載しました。

⑵　令和７年４月１日時点で施行が確実な法令に合わせて解説の改訂をしており、法改正により影響を受ける問題については、同日施行予定の法令で解けるよう過去問を編集し掲載しています。

⑶　問題ごとに過去問の番号を付しました。また、同系統の問題は代表的なものを掲載し、過去問の番号を連記しました。

⑷　左頁に問題を、右頁に解答・解説を掲載しているので、解いた問題をすばやくチェックできます。それにより、弱点を早く発見でき効率的な総復習に役立ちます。

⑸　あらゆるところに持ち運びができ、通勤通学の電車の中など、コマギレの時間を有効活用できるよう、コンパクトなＢ６判で刊行しました。

なお、さらに実践力を磨きたい方には、ＬＥＣの「精撰答練」の利用をおすすめします。質の高い予想問題を解くことで、さらなるレベルアップを図ることができます。

司法書士試験合格を目指し勉学に励んでいる多くの方々が、本書を有効に活用することで１年でも早く合格されることを願います。

2024年10月吉日

株式会社　東京リーガルマインド
ＬＥＣ総合研究所　司法書士試験部

左ページ

問題

学習項目を表示。

2 終局判決による訴訟の終了

判決の効力

本書は、択一式試験問題を各選択肢ごとに掲載し、過去の本試験の出題実績は下記のように表記しています（法改正等により、問題として成立しなくなったものについては掲載していません）。
【例】平7-2-2 → 平成7年本試験において、問2の2肢として出題。

平7-2-2

る。

平31-2-ア

事実を認定し、これに基づいて
46条に違反する。

（参考）
民事訴訟法
第246条　裁判所は、当事者が申し立てていない事項について判決をすることができない。

時間のない直前期に絶対に押さえてほしい問題をマーキング！

025 □□□

300万円の貸金債務のうち150万円を超え
いとの確認を求める訴訟において、裁判所が200万円を超えて貸金債務が存在しないと判決をすることは、民事訴訟法第246条に違反しない。

026 □□□　平31-2-オ

土地の賃借人が当該土地の賃借権に基づき当該土地上の工作物の撤去を求める訴訟において、裁判所が当該賃借人の主張しない占
容することは、民事訴訟法第246条に

「正解チェック欄」をつけました。直前期の総復習に、有効活用してください。

右ページ

解答・解説

合格ゾーンテキスト10
第5編　第2章

出題知識の確認ができるよう「司法書士合格ゾーンテキスト」のリンク先を記載しています。

○ **023**

判決は、言渡しによって……は、判決内容が決定されて判決原本が作成されても訴訟上の価値を持たない。

問題を解く前に解答・解説が見えないようにしたい方は、本書にはさみ込まれた「解答かくしシート」をご利用ください。

× **024**

裁判所が当……することは、……である246条……

○ **025**

原告が300万円の債務のうち150万円を超える債務は存在しないことの確認を求めている場合に、裁判所が300万円の債務のうち200万円を超える債務は存在しないとの確認判決をすることは、処分権主義に反しない（最判昭40.9.17）。

× **026**

判例は、原告の主張する賃借権に基づく妨害排除請求に対して……主張していない占有権を理……主義違背に当たるとしてい……

ポイントを集約した解説。また、解説の重要なキーワードは青文字で強調しています。

訴訟の終了

2 終局判決による訴訟の終了

CONTENTS

第4編　訴訟の終了

第5編　複雑訴訟形態

第6編　簡易裁判所

第7編　上訴

第8編　略式訴訟手続

民事執行法

第1編　強制執行

第2編　救済手段

第3編　その他の強制執行

民事保全法

第1編　民事保全法とは

供託法

第1編　供託の制度

第2編　弁済供託

第3編　供託手続

第４編　民事執行法に関わる供託

第５編　供託物払渡請求権の時効消滅

司法書士法

第１編　司法書士に関するルール

民事訴訟法

第1編

訴訟に関わる者

1 受訴裁判所

管轄権

001 □□□ 平3-1-4

専属管轄に関する定めがある場合、管轄を有しない裁判所がした判決は無効である。

002 □□□ 平3-1-2

管轄の有無は、訴えの提起の時を標準として定められる。

003 □□□ 平10-1-1

財産権上の訴えは、義務履行地を管轄する裁判所に提起することができる。

004 □□□ 平10-1-2（平5-3-1）

手形による金銭の支払の請求を目的とする訴えは、手形の振出地を管轄する裁判所に提起することができる。

005 □□□ 平10-1-3（平3-1-5）

不法行為に関する訴えは、不法行為があった地を管轄する裁判所に提起することができる。

006 □□□ 平10-1-4（平3-1-3）

不動産に関する訴えは、不動産の所在地を管轄する裁判所に提起することができる。

× **001**

専属管轄に関する定めがある場合、その専属管轄権のない裁判所が下した判決であっても、いったん確定すると、完全に有効な判決となる。

○ **002**

管轄に関する訴訟要件については、手続の安定のため、訴え提起時に管轄があれば、その後の管轄原因の変動の影響を受けない(15)。

○ **003**

財産権上の訴えについては、義務履行地を管轄する裁判所に提起することができる（5①)。

× **004**

手形による金銭の支払の請求を目的とする訴えは、手形の「支払地」を管轄する裁判所に提起することができる（5②)。

○ **005**

不法行為に関する訴えは、不法行為があった地を管轄する裁判所に提起することができる（5⑨)。

○ **006**

不動産に関する訴えは、不動産の所在地を管轄する裁判所に提起することができる（5⑫)。

007 □□□ 平10-1-5（平5-3-4）

登記に関する訴えは、登記をすべき地を管轄する裁判所に提起することができる。

008 □□□ 平23-1-イ

当事者が第一審の管轄裁判所を簡易裁判所とする旨の合意をした場合には、法令に専属管轄の定めがあるときを除き、訴えを提起した際にその目的の価額が140万円を超える場合であっても、その合意は効力を有する。

009 □□□ 平23-1-ア

人の普通裁判籍は、住所又は居所により、日本国内に住所若しくは居所がないとき又は住所若しくは居所が知れないときは最後の住所により定まる。

010 □□□ 平31-1-イ

外国の社団の普通裁判籍は、日本における主たる事務所又は営業所があるときであっても、当該事務所又は営業所の代表者その他の主たる業務担当者の住所により定まる。

011 □□□ 平27-1-オ（令5-1-ア）

被告が、第一審裁判所において、本案について弁論をせず、かつ、弁論準備手続において申述をしないまま、裁判官の忌避の申立てを行ったときは、その訴えについて土地管轄がないときであっても、その裁判所は、当該訴えについて管轄権を有する。

○ **007**

登記又は登録に関する訴えは、登記又は登録をすべき地を管轄する裁判所に提起することができる（5⑬）。

○ **008**

当事者は第一審に限って、合意に基づいて管轄裁判所を定めることができる（11Ⅰ）。事物管轄は、事件の大小や内容によってこれを行使する裁判所を区別することから生ずる管轄であり、法令に専属管轄の定めがあるときを除き、当事者双方が法定管轄と異なる管轄を望むときは、これを許容してもよい。

× **009**

自然人の普通裁判籍は、まず住所を基準として決定される。そして、日本国内に住所がないとき又は住所が知れないときは居所により、日本国内に居所がないとき又は居所が知れないときは最後の住所により定まる（４Ⅱ）。

× **010**

外国の社団又は財団の普通裁判籍は、４条４項の規定にかかわらず、日本における主たる事務所又は営業所により、日本国内に事務所又は営業所がないときは日本における代表者その他の主たる業務担当者の住所により定まる（４Ⅴ）。

× **011**

被告が第一審裁判所において管轄違いの抗弁を提出しないで本案について弁論をし、又は弁論準備手続において申述をしたときは、その裁判所は、管轄権を有する（12・応訴管轄）。この点、「本案について弁論をし」とは、被告が、原告の請求の当否につき陳述をすることをいう。

移送

012 □□□　平27-4-ア

裁判所は、管轄違いによる移送の裁判をするには、職権で証拠調べをすることができる。

013 □□□　平6-3-2（平27-1-イ、平30-4-ア）

簡易裁判所は、訴訟がその管轄に属する場合においても、相当と認めるときは、その専属管轄に属するものを除き、申立てにより又は職権で訴訟の全部又は一部をその所在地を管轄する地方裁判所に移送することができる。

014 □□□　平17-4-ア（平27-1-エ）

被告の住所地を管轄する裁判所に訴えが提起された後、被告に対する訴状の送達前に、被告が住所地を当該裁判所の管轄区域外に移した場合であっても、当該裁判所は、被告の新しい住所地を管轄する裁判所に当該訴訟を移送する必要はない。

015 □□□　平15-1-オ（平23-1-ウ、平31-1-オ）

簡易裁判所は、その管轄に属する不動産に関する訴訟につき被告の申立てがあるときは、その申立ての前に被告が本案について弁論をした場合を除き、訴訟の全部又は一部をその所在地を管轄する地方裁判所に移送しなければならない。

○ **012**

職権による証拠調べは許されないのが原則であるが、管轄権の有無については、その公益的要請から、職権調査事項とされているため、職権で証拠調べをすることができる（14）。

○ **013**

簡易裁判所は、訴訟がその管轄に属する場合においても、相当と認めるときは、その専属管轄に属するものを除き（20Ⅰ）、申立てにより又は職権で、訴訟の全部又は一部をその所在地を管轄する地方裁判所に移送することができる（18・簡易裁判所の裁量移送）。

○ **014**

管轄決定の時期に関しては、訴え提起の時を標準として定めるとしている（15）ため、訴え提起後の被告の住所移転は管轄に影響を及ぼさない。

○ **015**

簡易裁判所は、その管轄に属する不動産に関する訴訟につき被告の申立てがあるときは、訴訟の全部又は一部をその所在地を管轄する地方裁判所に移送しなければならない。ただし、その申立て前に被告が本案について弁論をした場合は、この限りではない（19Ⅱ）。

016 □□□ 令3-3-イ

民事訴訟において、口頭弁論期日における移送の申立ては、口頭ですることができる。

017 □□□ 平23-1-オ（平31-1-ア）

移送を受けた裁判所は、更に事件を他の裁判所に移送することはできないが、移送を受けた事由とは別個の事由によって再移送することはできる。

018 □□□ 平7-4-3（平27-1-ウ）

移送の裁判が確定したときは、訴訟は、初めから移送を受けた裁判所に係属したものとみなされる。

019 □□□ 平28-2-ア

共同相続人のうち自己の相続分の全部を他の共同相続人に対し譲渡した者は、遺産確認の訴えの当事者適格を有しない。

○ **016**

移送の申立ては、期日においてする場合を除き、書面でしなければならない（民訴規7Ⅰ）。ただし、口頭弁論期日において申立てをするときは、期日調書に記載することにより申立ての有無及び内容が明確になるため、例外的に口頭ですることができる。

○ **017**

移送を受けた裁判所は、更に事件を他の裁判所に移送することができない（22Ⅱ）。しかし、いかなる場合にも絶対に再移送を禁止するものではなく、移送された事由とは別個の事由によって再移送をすることもできる（東京高判昭47.10.25、東京地決昭61.1.14）。

○ **018**

移送の裁判が確定したときは、訴訟は初めから移送を受けた裁判所に係属していたものとみなされる（22Ⅲ）。

○ **019**

共同相続人のうち自己の相続分の全部を他の共同相続人に譲渡した者は、遺産確認の訴えの当事者適格を有しない（最判平26.2.14）。

❷ 訴訟当事者

当事者能力

020 □□□　平19-2-オ（平22-1-エ）

原告に当事者能力がない場合であっても、被告がその旨の主張をしない限り、裁判所は、訴えを却下することができない。

021 □□□　平28-2-ウ

権利能力のない社団Ｘの構成員全員に総有的に帰属する不動産につき、当該不動産の所有権の登記名義人が第三者である場合には、Ｘは、その代表者Ｙの個人名義への所有権移転登記手続請求訴訟の原告適格を有さず、Ｙのみが当該訴訟の原告適格を有する。

訴訟能力

022 □□□　平10-2-2（平22-1-イ、平29-1-ア）

未成年者は、親権者の同意を得た場合であっても、自ら訴訟行為をすることはできない。

023 □□□　平10-2-5

成年後見人は、成年被後見人がした訴訟行為を取り消すことができる。

×　**020**

当事者能力の有無は、訴訟要件の一つであり、弁論主義に服するものではなく、裁判所の職権調査事項である。したがって、裁判所は、原告に当事者能力がないことにつき、被告の主張を待つことなく調査し、当事者能力がないと認められる場合には、訴えを却下することができる。

×　**021**

権利能力のない社団は、構成員全員に総有的に帰属する不動産について、その所有権の登記名義人に対し、当該社団の代表者の個人名義に所有権移転登記手続をすることを求める訴訟の原告適格を有する（最判平26.2.27）。

○　**022**

未成年者は訴訟無能力者であり、独立して法律行為をすることができる場合を除き、法定代理人によらなければ、訴訟行為をすることができない（31）。

×　**023**

成年被後見人は、成年後見人によらなければ、訴訟行為をすることができない（31本文）。そして、訴訟無能力者である成年被後見人がした訴訟行為は、取り消されるまで有効なのではなく、当初から無効である。

024 □□□　平10-2-3（平22-1-ウ）

被保佐人は、保佐人の同意を得なくても、相手方が提起した訴えについて応訴することができる。

025 □□□　令3-1-ウ

被告が訴訟係属中に保佐開始の審判を受けた場合において、訴訟上の和解をするときは、保佐人の特別の授権を要する。

026 □□□　平10-2-4（令3-1-イ）

外国人は、その本国法によれば訴訟能力を有しない場合であっても、日本の法律によれば訴訟能力を有すべきときは、訴訟能力者とみなされる。

027 □□□　平29-1-オ（平元-1-1、平22-1-オ、令3-1-エ）

民事訴訟における訴訟能力に関して、成年被後見人が自らした訴訟行為は、その成年後見人が追認した場合であっても有効とはならない。

028 □□□　平22-1-ア

補助参加人が有効に訴訟行為をするためには、訴訟能力が必要である。

○ **024**

被保佐人には、完全な訴訟能力が認められず、訴訟行為をするには原則として保佐人の同意を要する（28後段、民13Ⅰ④）。しかし、被保佐人が相手方の提起した訴えについて応訴をする場合には、相手方の訴権を保護する趣旨から、保佐人の同意を要しない（32Ⅰ）。

○ **025**

当事者が訴訟係属中に保佐開始の審判を受けても、その審級に限っては、被保佐人は保佐人の同意なく訴訟行為をすることができるが、32条2項の行為については特別の授権を必要とする。

○ **026**

外国人は、その本国法によれば訴訟能力を有しない場合であっても、日本の法律によれば訴訟能力を有すべきときは、訴訟能力者とみなす（33）。

× **027**

訴訟能力、法定代理権又は訴訟行為をするのに必要な授権を欠く者がした訴訟行為は、これらを有するに至った当事者又はその者の法定代理人の追認により、行為の時にさかのぼってその効力を生ずる（34Ⅱ）。

○ **028**

訴訟能力は、その者の名において訴訟行為をし、または訴訟行為の相手方となりうる能力を意味する。したがって、当事者のほかに、補助参加人が訴訟行為をするにも訴訟能力が要求される。

③ 代理人

029 □□□ 平元-1-4（令3-1-オ）

当事者である未成年者が成年に達した場合、その親権者であった者の法定代理権の消滅が相手方に通知されるまでは、法定代理権消滅の効果は生じない。

030 □□□ 平24-1-エ

被告から反訴が提起されたときには、原告の訴訟代理人は、特別の委任がなくても、これに応訴することができる。

031 □□□ 平9-1-2（平6-1-1）

訴訟代理人が反訴を提起するには、本人からの特別の委任を受けることを要しない。

032 □□□ 平9-5-5（平20-4-オ）

第一審の終局判決を受ける前に、訴訟代理人が訴えの取下げをするには、原告本人からの特別の委任を受けることを要しない。

033 □□□ 令6-1-オ

訴訟代理人が委任を受けた事件について控訴をするには、特別の委任を要しない。

○ **029**

民法上、未成年者が成年に達した場合には、親権者の法定代理権は当然に消滅する（民818Ⅰ・824本文参照）。しかし、民事訴訟法においては、手続安定の要請が働き、実体法上、法定代理権の消滅原因が発生しても、本人又は代理人から相手方にその旨の通知をしなければ、消滅の効力は生じない（36Ⅰ）。

○ **030**

訴訟代理人は、委任を受けた事件について、特別の委任を受けなくても反訴に対する応訴（反訴に関する訴訟行為）をすることができる（55Ⅰ）。

× **031**

反訴の提起は、新たに独立の訴えを提起するものであるから、改めて本人の意思を確認することが相当とされている。そのため、訴訟代理人が反訴の提起をするには、特別の委任を要する（55Ⅱ①）。

× **032**

訴えの取下げは、確定判決に至らずに訴訟を終了させるものであり、勝訴判決を得ることを目的として訴訟委任をする本人の意思の中には当然には含まれていないと考えられるから、訴訟代理人が確定判決を受ける前に訴えの取下げをするには、特別の委任を要する（55Ⅱ②）。

× **033**

訴訟代理人は、委任を受けた事件について控訴をするには、特別の委任を受けなければならない（55Ⅱ③）。

034 □□□ 平6-1-5

訴訟代理人は、委任を受けた事件について特別の委任を受けなくても、控訴の取下げをすることができる。

035 □□□ 平22-5-ア（平6-1-2、平27-5-ウ）

訴訟代理人は、請求の認諾をするには特別の委任を受けなければならないが、裁判上の和解をするには特別の委任を受ける必要はない。

036 □□□ 平24-1-ウ

数人の訴訟代理人があるときは、各自当事者を代理することができ、当事者がこれと異なる定めをしても、その定めは効力を生じない。

037 □□□ 平9-3-2（平4-3-5、平24-1-イ）

訴訟代理人の事実に関する陳述については、当事者は、いつでもこれを取り消し又は更正することができる。

038 □□□ 令6-1-ウ

訴訟代理権は、委任をした当事者が死亡した場合には、消滅する。

× **034**

控訴の取下げがされると、控訴期間（285）の経過により、第一審判決が確定するという重大な効果を生ずるため（292Ⅱ・262Ⅰ）、訴訟代理人が控訴を取り下げるには、特別の委任を受けなければならない（55Ⅱ③）。

× **035**

和解、請求の認諾は、当然には訴訟代理権の範囲に含まれず、訴訟代理人が特別の委任を受けなければすることができない（55Ⅱ②）。

○ **036**

訴訟代理人が数人あるときは、訴訟の迅速・円滑な進行を図る趣旨から、各自当事者を代理する（56Ⅰ）。そして、当事者がこれと異なる定めをしても、その定めは効力を生じない（56Ⅱ）。

× **037**

具体的な事実関係については代理人よりも当事者の方が詳しいはずなので、訴訟代理人の事実に関する陳述については、当事者が「直ちに」取り消し、又は更正したときは、その効力を生じない（57）。いつでも取り消し又は更正できるわけではない。

× **038**

訴訟代理権は、当事者の死亡によっては、消滅しない（58Ⅰ①）。

039 □□□ 平9-2-3（平24-1-ア）

訴訟代理権を欠く者がした訴訟行為は、訴訟能力を有する当事者の追認により、行為の時にさかのぼってその効力を生ずるが、法定代理権を欠く者がした訴訟行為は、訴訟能力を有する当事者の追認があっても、行為の時にさかのぼってその効力を生ずることはない。

040 □□□ 平9-2-4（平24-1-オ）

法定代理権の消滅は、本人又は代理人から相手方に通知しなくても、その効力を生ずるが、訴訟代理権の消滅は、本人又は代理人から相手方に通知しなければ、訴訟上その効力を生じない。

× **039**

法定代理権を欠く者がした訴訟行為は、訴訟能力を有する当事者又は法定代理人の追認により、行為の時にさかのぼってその効力を生ずる（34Ⅱ）。同規定は訴訟代理にも準用されている（59）。

× **040**

法定代理権の消滅事由が生じても、訴訟手続との関係では、当然には代理権消滅の効果を生じない。訴訟能力を有する本人又は新旧いずれかの代理人が相手方に通知することによってはじめて代理権消滅の効果を生ずる（36Ⅰ）。同規定は訴訟代理にも準用されている（59）。

④ 訴訟行為の中断

041 □□□ 平17-4-ウ

簡易裁判所の訴訟において原告が死亡した場合には、司法書士がその訴訟代理人になっていたときであっても、弁護士がその訴訟代理人になっていない限り、訴訟手続が中断する。

042 □□□ 平25-2-ア

当事者が死亡した場合において、その相続人は、相続の放棄をすることができる間であっても、訴訟手続を受け継ぐことができる。

043 □□□ 平29-1-エ

民事訴訟における訴訟能力に関して、訴訟係属中に原告が成年被後見人になった場合には、その原告について訴訟代理人があるときを除き、訴訟手続が中断する。

044 □□□ 平9-2-5（平4-3-1、平15-4-エ、平25-2-エ）

当事者が死亡した場合、法定代理人があるときでも、訴訟手続は中断するが、訴訟代理人があるときは、訴訟手続は中断しない。

045 □□□ 平22-3-エ

原告が訴訟代理人を選任して訴訟を追行していたところ、当該訴訟代理人が死亡した場合には、訴訟手続は、新たな訴訟代理人が選任されるまで中断する。

× **041**

訴訟の当事者が死亡した場合、原則として訴訟手続は中断する(124Ⅰ①)。しかし、訴訟代理人がある場合は、中断しない(124Ⅱ)。この取扱いは簡易裁判所における訴訟手続でも同様であり、訴訟代理人の資格によって取扱いが異なるものではない。

× **042**

当事者が死亡した場合、訴訟手続は中断する（124Ⅰ①)。この場合、相続人等は、訴訟手続を受け継がなければならない（124Ⅰ①)。もっとも、相続人は、相続の放棄をすることができる間は、訴訟手続を受け継ぐことができない（124Ⅲ)。

○ **043**

当事者が訴訟能力（28）を喪失した場合、当事者は自ら単独で有効な訴訟行為をすることができないこととなるので、本人保護のため、新たな訴訟追行者が追行できるようになるまで訴訟手続は中断する（124Ⅰ③)。

○ **044**

当事者が死亡した場合、法定代理人があるときでも、訴訟手続は中断する（124Ⅰ①)。これに対し、当事者が死亡した場合でも、訴訟代理人があるときは、訴訟手続は中断しない（124Ⅱ)。

× **045**

原告が訴訟代理人を選任して訴訟を追行していたところ、当該訴訟代理人が死亡した場合は、訴訟代理権が消滅しても、本人が直ちに訴訟追行できるため、中断事由とされていない。

046 □□□ 平25-2-オ

判決書の正本の送達後に当事者が死亡したことによりその進行を停止した控訴期間については、訴訟手続の受継の通知又はその続行の時から、新たに全期間の進行を始める。

047 □□□ 平22-3-ウ

裁判所が原告の死亡の事実を知ったときは、裁判所は、職権で、訴訟手続を中断する旨の決定をしなければならない。

048 □□□ 平22-3-オ

訴訟手続の受継の申立ては、受継をすべき者又はその相手方がすることができる。

049 □□□ 平22-3-ア（平24-5-ア）

判決の言渡しは、訴訟手続の中断中でもすることができる。

○ **046**

訴訟手続の中断又は中止があったときは、期間は進行を停止する（132Ⅱ前段）。この場合においては、訴訟手続の受継の通知又はその続行の時から、新たに全期間の進行を始める（同後段）。

× **047**

中断は、法定事由があれば、当然に訴訟手続の停止の効果が発生する（124Ⅰ参照）。そして、その事由についての裁判所や当事者の知不知とは関係がない。そのため、裁判所は、職権で訴訟手続を中断する旨の決定をする必要はない。

○ **048**

受継の申立ては中断事由の生じた側の新追行者からされるのが通常であるが、相手方にも受継の申立権を認め、速やかに訴訟手続を続行できるようにされており、訴訟手続の受継の申立ては、相手方もすることができる（126）。

○ **049**

口頭弁論終結後に中断が生じた場合には、当事者の手続関与権に配慮する必要がなく、かえって口頭弁論終結後はなるべく速やかに行う方が当事者と裁判所双方の利益に合致するため、裁判所は訴訟手続の中断中でも判決を言い渡すことができる（132Ⅰ）。

民事訴訟法

第2編 訴えの提起

1 訴えの概念・各種の訴え

001 □□□ 平27-3-イ

法律関係を証する書面の成立の真否を確定するための確認の訴えは、不適法である。

002 □□□ 平27-3-エ

遺言者の生前における遺言の無効確認の訴えは、現在の法律関係の確認を求めるものとして適法である。

003 □□□ 平12-1-エ

給付の訴えを認容する判決が確定すると、給付義務が存在するという判断に既判力が生ずる。

004 □□□ 平12-1-オ

給付の訴えを却下する判決が確定すると、給付義務が存在しないという判断に既判力が生ずる。

005 □□□ 平25-5-ア

金銭の支払請求を認容する判決が確定した場合でも、その金銭支払請求権について他に時効の更新の方法がないときは、再度、その金銭支払請求権の履行を求める訴えを提起することができる。

006 □□□ 平12-2-ア

ＡがＢに対して提起した不動産の所有権確認訴訟の係属中に、ＡがＣに対し、同一の不動産に関して所有権確認の別訴を提起することは、重複起訴の禁止に反する。

× **001**

確認の訴えは、法律関係を証する書面の成立の真否を確定するためにも提起することができる（134の2）。

× **002**

遺言者が生存中に受遺者に対してする遺言無効確認の訴えは、訴えの利益を欠くものとして認められない（最判昭31.10.4）。

○ **003**

給付の訴えにおける請求認容判決は、主文において直接被告に原告への給付を命ずるから、給付義務が存在するという判断に既判力が生ずる（114Ⅰ）。

× **004**

給付の訴えを却下する判決の主文中で判断されるのは訴訟要件の欠缺であり、給付義務が存在しないという判断には既判力は生じない。

○ **005**

前訴で勝訴判決を受けた者が同一請求を繰り返す場合、既に同一内容の勝訴判決を得ているから、訴えの利益を欠き、訴え却下となるのが原則である。しかし、時効の更新のために他に方法がない場合など、必要があるときは、例外的に訴えの利益が認められる（大判昭6.11.24）。

× **006**

当事者が異なれば、同一の権利関係が訴訟物になっていても同一の「事件」とはいえない。したがって、本肢のAのCに対する訴えは、重複起訴の禁止（142）に反しない。

007 □□□ 平12-2-イ

AがBに対して提起した貸金債務不存在確認訴訟の係属中に、BがAに対し、同一の貸金債権に関して貸金返還請求の別訴を提起することは、重複起訴の禁止に反する。

008 □□□ 平12-2-ウ

AがBに対し、債権者代位権に基づきCに代位して提起した貸金返還請求訴訟の係属中に、CがBに対し、同一の貸金債権に関して貸金返還請求の別訴を提起することは、重複起訴の禁止に反する。

009 □□□ 平12-2-エ

AがBに対して提起した貸金返還請求訴訟の係属中に、別訴において、Aが同一の貸金返還請求権を自働債権として相殺の抗弁を主張する場合にも、重複起訴の禁止の趣旨は妥当し、当該抗弁を主張することはできない。

010 □□□ 平19-1-ア

X及びYは、通謀してX所有の不動産につき仮装の売買契約を締結し、XからYへの所有権の移転の登記をした。その後、Yは、善意のZに当該不動産を売却し、YからZへの所有権の移転の登記をした。この場合、XがYに対して提起した所有権の移転の登記の抹消手続を求める訴えは、却下される。

○ **007**

貸金債務不存在確認訴訟と貸金返還請求訴訟とでは、当事者の同一性、及び訴訟物の内容である権利関係の同一性が認められ、同一の事件といえるから、重複起訴の禁止（142）に反する。

○ **008**

債権者代位訴訟は法定訴訟担当であって、ＡＢ間の判決の効力は被担当者Ｃにも及ぶ（115Ⅰ②）ため、当事者の同一性も認められ、同一の事件といえるから、重複起訴の禁止（142）に反する（大判昭14.5.16）。

○ **009**

相殺の抗弁に対する判断には既判力が生ずる（114Ⅱ）ため、別訴中の抗弁として主張されたときでも、訴訟物である権利関係の同一性が認められ、同一の事件といえるから、重複起訴の禁止（142）の趣旨は妥当し、当該抗弁を主張することはできない（最判平3.12.17）。

× **010**

民法94条２項により第三者が保護され、最終登記名義人に敗訴するような場合であっても、通謀虚偽表示の当事者であるＹに対する抹消登記請求は、訴えの利益を欠くものではなく、容認される（最判昭41.3.18参照）。

011 □□□ 平19-1-イ

Xは、Yとの間で、Yに対して有する特定の貸金債権について訴えを提起しない旨の合意をした。この場合、XがYに対して当該貸金債権に係る貸金の返還を求める訴えを提起しても、Yが当該合意の存在を主張したときは、Xの訴えは、却下される。

012 □□□ 平25-3-イ

裁判所は、原告及び被告の間に仲裁の合意があることが証拠から認められる場合には、被告が当該合意の存在を主張していないときであっても、訴えを却下することができる。

013 □□□ 平19-1-ウ

Xは、Yに対して有する貸金債権について執行証書を有している。この場合、XがYに対して提起した当該貸金債権に係る貸金の返還を求める訴えは、却下される。

014 □□□ 平19-1-エ（平23-3-ア、平30-2-ア）

亡Aの相続人は、X及びYのみである。この場合、XがYに対して提起した、特定の財産が亡Aの遺産であることの確認を求める訴えは、却下される。

015 □□□ 平19-1-オ（平23-3-エ）

亡Aの相続人は、X及びYのみである。この場合、XがYに対して提起した、亡Aの相続に関し特定の財産がYの特別受益財産であることの確認を求める訴えは、却下される。

○ **011**

当事者間で、特定の権利関係について不起訴の合意をすることも処分権主義（246）のもとで認められるものと解され、合意に反して提起された場合には、被告がその合意の存在を主張・立証すれば、訴えの利益を欠くものとして、原告の訴えは却下される。

× **012**

抗弁事項にあたる訴訟要件の判断資料の収集責任は当事者にあるため（弁論主義）、当事者の主張なくして裁判所は当該要件の認定をすることができない。

× **013**

既に執行証書（民執22⑤）を有していても、執行証書には給付請求権の存在につき既判力がないため、別訴で争われる可能性がある以上、給付の訴えの利益が認められる（大判昭18.7.6）。

× **014**

ある財産が被相続人の遺産に属するかにつき争いがあり、遺産分割手続が進展しないような場合において、特定の財産が遺産に含まれることの確認を求める訴えにつき、判例は訴えの利益を認めている（最判昭61.3.13）。

○ **015**

特定の財産につき特別受益財産であることを確認する訴えは、訴えの利益を欠くものとして却下される（最判平7.3.7）。なお、この場合は、特定財産につき、所有権確認訴訟を提起するべきである。

016 □□□　平23-3-ウ（平30-2-オ）

賃貸借契約継続中に賃借人が賃貸人に対して敷金返還請求権が存在することの確認を求める訴えは、賃貸人が敷金交付の事実を争っているときであっても、条件付請求権の確認を求めるものであるから、確認の利益がない。

017 □□□　平23-3-オ（平30-2-エ）

債務者が債権者に対して提起した債務不存在確認訴訟の係属中に、債権者からその債務の履行を求める反訴が提起されたときは、本訴である債務不存在確認の訴えは、確認の利益を欠くことになる。

018 □□□　平30-2-イ

共同相続人間において具体的相続分についてその価額又は割合の確認を求める訴えは、確認の利益を欠く。

019 □□□　平30-2-ウ

金銭消費貸借契約の債務者が、債権者に対し、その債務を弁済した事実自体の確認を求める訴えは、確認の利益を欠く。

× **016**

敷金返還請求権は、条件付ではあっても現在の権利又は法律関係ということができ、確認対象としての適格が認められる。また、賃貸人が賃借人の敷金交付の事実を争って敷金返還義務を負わないと主張している場合、その存否を確認することで、賃借人の法律上の地位に現に生じている不安ないし危険は除去されるため、即時確定の利益も肯定され、確認の利益があるといえる（最判平11.1.21）。

○ **017**

債務者が債権者に対して提起した債務不存在確認請求訴訟の継続中に、債権者がその債務の履行を求める反訴を提起したときは、本訴である債務不存在確認訴訟は確認の利益を失い却下される（最判平16.3.25）。

○ **018**

判例は、具体的相続分は、それ自体を実体法上の権利関係であるということはできず、また、具体的相続分のみを別個独立に判決によって確認することが紛争の直接かつ抜本的解決のため適切かつ必要であるということはできないとして、確認の利益を否定している（最判平12.2.24）。

○ **019**

民事訴訟は、裁判所が司法権を行使して、私人の権利を保護することを目的とするから、請求が、法規の適用によって当否の判断ができる具体的権利関係の存否の主張でなければ、本案判決を求めるだけの必要がなく、訴えの利益を欠くこととなる。そして、判例は、債務の弁済の事実自体の確認のように、単なる事実の存否をめぐる争いについては、確認の利益を欠き不適法であるとする（最判昭39.3.24）。

020 □□□ 平22-4-オ

売買代金支払請求訴訟において、売買代金債権は存在するが、その履行期が未到来であることが明らかになった場合には、裁判所は、原告が当該債権を有する旨を確認する判決をすることができる。

× **020**

民事訴訟においては、当事者の申立事項が裁判所による審判の対象となる（246・処分権主義）。そして、この申立事項には、訴訟物およびそれについての審判の形式を含む。つまり、給付、確認、形成の審判形式は、原告によって特定され、それが裁判所を拘束する。

❸ 訴え提起の手続

021 □□□ 平29-2-ア（平2-4-5）

原告が訴えの提起の手数料を納付しない場合には、裁判長は、相当の期間を定め、原告にその不備を補正すべきことを命じなければならず、原告がその不備を補正しないときは、命令で訴状を却下しなければならない。

022 □□□ 平26-1-ア

送達は、特別の定めがある場合を除き、職権でする。

023 □□□ 平26-1-イ（令2-1-オ）

訴訟無能力者に対する送達は、その法定代理人にする。

024 □□□ 平28-1-5

訴訟能力を認めることができない未成年者がその父母の共同親権に服している場合、当該未成年者に対する送達は、当該父母のいずれか一人にすれば足りる。

025 □□□ 平29-1-ウ

民事訴訟における訴訟能力に関して、被告が成年被後見人である場合であっても、被告本人に対してされた訴状の送達は有効である。

026 □□□ 平26-1-ウ

送達を受けるべき者が送達場所とともに送達受取人を受訴裁判所に届け出た場合には、当該送達を受けるべき者に出会った場所においてした送達は、その者がその送達を受けることを拒まなかったときでも、無効である。

○ **021**

原告が、訴え提起の手数料を納付しない場合、裁判長は、相当の期間を定め、その期間内に不備を補正すべきことを命じなければならない（137Ⅰ）。そして、原告が不備を補正しないときは、裁判長は、命令で、訴状を却下しなければならない（137Ⅱ）。

○ **022**

送達は、特別の定めがある場合を除き、職権でする（98Ⅰ）。

○ **023**

訴訟無能力者に対する送達は、その法定代理人にする（102Ⅰ）。

○ **024**

未成年者等の訴訟無能力者（31本文）に対する送達は、その法定代理人に対して行い（102Ⅰ）、数人が共同して代理権を行うべき場合には、送達は、その一人にすれば足りる（102Ⅱ）。

× **025**

訴訟無能力者に対する送達は、その法定代理人にする（102Ⅰ）。なぜなら、送達の受領も訴訟行為の一種であることから、当事者本人が訴訟無能力者の場合には、この者に宛てて送達することはできないからである（31本文参照）。

× **026**

①送達名宛人が日本国内に住所などの送達場所を有することが明らかでないとき（105前段）、②送達名宛人が日本国内において住所等を有することが明らかであるか、又は送達場所の届出（104Ⅰ前段）をしている名宛人であっても、送達を拒まないとき（105後段）は、送達を受けるべき者に出会った場所において送達することが認められる（出会送達）。

027 □□□ 令2-1-エ

執行官が送達をするときは、交付送達の方法によらなければならず、出会送達をすることはできない。

028 □□□ 平26-1-エ

就業場所以外の場所でする補充送達は、送達を受けるべき者が実際にその書類の交付を受けて内容を了知しなければ、無効である。

029 □□□ 令2-1-ウ

就業場所以外の送達をすべき場所において送達を受けるべき者本人が不在の場合には、その同居者が成年者であるときに限り、当該同居者に対して送達すべき書類を交付することができる。

030 □□□ 平26-1-オ

裁判所書記官が書類を書留郵便に付して発送する送達は、郵便がこれを受ける者に到達した時にその効力が生じる。

031 □□□ 令2-1-ア

裁判所書記官は、その所属する裁判所の事件について出頭した者に対し、自ら送達をすることはできない。

× **027**

送達実施機関が本来の送達場所でなく、名宛人に出会った場所で送達する送達の方法を、出会送達（105）という。そして、執行官は送達実施機関である（99Ⅰ）から、執行官による出会送達も認められる。

× **028**

就業場所以外の送達をすべき場所において送達を受けるべき者に出会わないときは、使用人その他の従業者又は同居者であって、書類の受領について相当のわきまえのあるものに書類を交付することができる（106Ⅰ・補充送達）。したがって、送達受領資格者に書類が交付されれば送達の効力が生じ、現実に送達名宛人に書類が渡されたか否かは送達の効力とは無関係である。

× **029**

補充送達における使用人その他の従業者又は同居者は、いずれも送達の性質を理解し、受領した書類を送達名宛人に交付することが期待できる程度の能力、すなわち事理を弁識することができる知能を備えていなければならないが、その能力さえあれば、未成年者でもよい（大判大14.11.11参照）。

× **030**

裁判所書記官が書類を書留郵便に付して発送した場合には、その発送の時に送達があったものとみなされる（107Ⅲ）。

× **031**

裁判所書記官は、その所属する裁判所の事件について出頭した者に対しては、自ら送達をすることができる（100）。

032 □□□ 平28-1-1

送達の日時は、送達報告書によってのみ証明することができる。

033 □□□ 平28-1-2

当事者が第一審の受訴裁判所にした送達を受けるべき場所の届出は、当該裁判所による終局判決の言渡しによって当然にその効力を失い、控訴審においてはその効力を有しない。

034 □□□ 令2-1-イ

公示送達は、裁判所書記官が送達すべき書類を保管し、いつでも送達を受けるべき者に交付すべき旨を裁判所の掲示場に掲示してする。

035 □□□ 平28-1-4

公示送達の効力は、裁判所の掲示場に掲示を始めた日に生ずる。

036 □□□ 令3-1-ア

訴訟能力を欠く者による訴えの提起であることが判明したときは、裁判長は、その補正を命ずることなく、命令で、訴状を却下することができる。

× **032**

送達をした者は、書面を作成し、送達に関する事項を記載して、これを裁判所に提出しなければならない（109・送達報告書）。この点、送達報告書がなくても送達は無効ではなく、送達の日時・場所等の証明はいかなる資料によってもよい（大判昭8.6.16）。

× **033**

当事者、法定代理人又は訴訟代理人は、送達を受けるべき場所（日本国内に限る。）を受訴裁判所に届け出なければならない（104）。この点、送達場所の届出の効力は、訴訟が終了するまで存続し、第一審でなされた届出は、控訴審でも効力を有する。

○ **034**

公示送達は、裁判所書記官が送達すべき書類を保管し、いつでも送達を受けるべき者に交付すべき旨を裁判所の掲示場に掲示してする（111）。

× **035**

日本国内における公示送達は、掲示を始めた日から２週間を経過することによって、その効力を生ずる（112Ⅰ本文）。なお、日本国内における同一の当事者に対する２回目以降の公示送達は、掲示を始めた日の翌日に効力を生ずる（112Ⅰ但書）。

× **036**

訴訟能力、法定代理権又は訴訟行為をするのに必要な授権を欠くときは、裁判所は、期間を定めて、その補正を命じなければならない（34Ⅰ前段）。

037 □□□　令3-2-イ

口頭弁論期日に出頭した当事者に対して裁判長が口頭で次回期日を告知しただけでは、その次回期日について適法な呼出しがあったとは認められない。

× 037

期日の呼出しは、呼出状の送達、当該事件について出頭した者に対する期日の告知その他相当と認める方法によってする（94Ⅰ）。

❹ 訴え提起の効果

038 □□□ 平27-3-オ（平2-4-1）

原告が貸金返還請求の訴えを地方裁判所に提起した場合、当該訴えに係る貸金返還請求権についての時効の完成猶予の効力は、その訴状を当該地方裁判所に提出した時に生ずる。

039 □□□ 平29-2-エ

当事者が訴訟の準備及び追行に必要な費用を支払う資力を有していない場合には、裁判所は、申立てにより、訴訟上の救助として、裁判費用の支払を猶予し、又は免除することができる。

○ **038**

訴え提起による時効の完成猶予の効力は、訴えを提起した時に生ずる（147）。そして、地方裁判所において、訴えを提起した時とは、訴状が提出された時である（134Ⅰ）。

× **039**

訴訟の準備及び追行に必要な費用を支払う資力がない者に対しては、裁判所は、申立てにより、訴訟上の救助の決定をすることができる（82Ⅰ）。この点、具体的な訴訟上の救助については、裁判費用の支払の猶予や、訴訟費用の担保の免除については認められているが、裁判費用の「支払の免除」については認められていない（83Ⅰ参照）。

第3編

訴訟の審理

1 口頭弁論における当事者の行為

001 □□□ 平31-3-オ

裁判所が口頭弁論の制限を命ずる決定をした場合には、当事者は、当該決定に対して即時抗告をすることができる。

002 □□□ 平20-3-エ

当事者が故意又は重大な過失により時機に後れてした証拠の申出が裁判所により却下されるのは、これにより訴訟の完結を遅延させることとなると認められる場合である。

× **001**

口頭弁論の制限の決定（152Ⅰ）は、裁判所の裁量に基づく訴訟指揮（148参照）のための決定であるから、当事者は不服申立てをすることができない。

○ **002**

当事者の故意又は重大な過失により時機に遅れて提出した攻撃又は防御の方法については、これにより訴訟の完結を遅延させることとなると認めたときは、裁判所は、申立てにより又は職権で、却下の決定をすることができる（157Ⅰ）。

❷ 口頭弁論における諸主義

003 □□□ 平2-4-4（平18-5-1）

訴訟要件を欠き、その欠缺を補正することができない訴えについては、裁判所は、口頭弁論を経なければ、判決をもってこれを却下することができない。

004 □□□ 平31-3-エ

当事者の申立てがなくても、裁判所は、終結した口頭弁論の再開を命ずることができる。

× **003**

判決は口頭弁論に基づいて行うのが原則である（87Ⅰ本文、必要的口頭弁論の原則）。しかし、訴えが不適法でその不備を補正することができないときは、口頭弁論を開いても無意味であることから、裁判所は、口頭弁論を経ないで、判決で、訴えを却下することができる（140）。

○ **004**

裁判所は、当事者の申立てがなくても、終結した口頭弁論の再開を命ずることができる（153）。なぜなら、弁論を再開するか否かの判断は、裁判所の訴訟指揮権（148参照）に属する判断であって、裁判所の裁量的判断に委ねられているからである。

❸ 当事者の欠席

005 □□□ 平31-3-ア

原告が最初にすべき口頭弁論の期日に出頭しない場合において、被告が当該期日に出頭したときは、裁判所は、当該原告が提出した訴状に記載した事項を陳述したものとみなして当該被告に弁論をさせなければならない。

006 □□□ 平9-3-5（平3-5-5、平18-1-オ）

公示送達により呼出しを受けた当事者は、口頭弁論期日に出頭せず、答弁書その他の準備書面を提出しない場合でも、相手方の主張した事実を自白したものとみなされることはない。

007 □□□ 平7-1-3（平元-3-4）

地方裁判所の訴訟手続において、口頭弁論期日に当事者の一方が欠席した場合でも、その期日が最初の口頭弁論期日でないときは、裁判所は、その当事者の提出した準備書面に記載した事項を陳述したものとみなして、相手方に弁論を命ずることができない。

008 □□□ 平11-1-4（平2-5-イ、平6-2-3、平18-1-エ、平20-3-オ、平26-2-ウ）

裁判所は、当事者双方が期日に出頭しない場合においても、証拠調べをすることができる。

× **005**

原告又は被告が最初にすべき口頭弁論の期日に出頭しないときは、裁判所は、その者が提出した訴状又は答弁書その他の準備書面に記載した事項を陳述したものとみなし、出頭した相手方に弁論をさせることができる（158・陳述擬制）が、させなければならないわけではない。

○ **006**

口頭弁論に出頭しない当事者が、公示送達によって呼出しを受けているときは、相手方の主張した事実を自白したものとみなされることはない（159Ⅲ但書）。争う機会が現実に保障されていたとはいえないからである。

○ **007**

訴状等の陳述擬制（158）は、簡易裁判所を除き（277）、続行期日では認められない。

○ **008**

証拠調べは、当事者が期日に出頭しない場合においても、することができる（183）。証拠調べには必ずしも当事者の訴訟行為を要せず、また、出頭した証人、鑑定人等が当事者の不出頭のために何回も呼び出される迷惑を避ける必要があるからである。

009 □□□ 平8-1-4（平元-3-2、平26-2-ア）

口頭弁論期日に当事者の一方が欠席した場合には、出席した方の当事者は、準備書面に記載していない事実についても主張することができる。

010 □□□ 平7-1-2（平26-2-オ）

判決の言渡しは、その期日に当事者の双方が欠席した場合でもすることができる。

011 □□□ 平18-1-イ

当事者双方が口頭弁論期日に欠席し、3か月以内に期日指定の申立てをしないときは、訴えの取下げがあったものとみなされる。

012 □□□ 平27-5-ア

当事者双方が、連続して2回、口頭弁論の期日に出頭せず、かつ、その後1月以内に期日指定の申立てがされなかった場合には、当該期間の経過時に訴えの取下げがあったものとみなされる。

× **009**

相手方が在廷していない口頭弁論においては、準備書面（相手方に送達されたもの又は相手方からその準備書面を受領した旨を記載した書面が提出されたものに限る。）に記載した事実でなければ、主張することができない（161Ⅲ）。

○ **010**

判決の言渡しは、当事者が在廷しない場合においても、することができる（251Ⅱ）。判決の言渡しには、当事者の新たな訴訟行為を必要とせず、また、その後判決書は当事者に送達され(255)、当事者はその内容を知ることができるからである。

× **011**

当事者双方が口頭弁論期日に欠席した場合において、訴えの取下げがあったものとみなされるのは、3か月以内ではなく、1か月以内に期日指定の申立てをしないときである（263前段）。

× **012**

当事者双方が連続して2回、口頭弁論の期日に出頭しなかったときは、それだけで訴えの取下げが擬制される（263後段）。

4 審理における裁判所と当事者の役割

013 □□□ 平23-4-ウ（平11-2-5）

主要事実には、弁論主義が適用されるので、判決の基礎とするためには、当事者がその事実を主張している必要がある。したがって、証人の証言からその事実が判明しても、当事者がその事実を主張していない場合には、裁判所は、その事実を判決の基礎とすることはできない。

014 □□□ 平19-2-イ

法律行為につき、当事者が公序良俗に反し無効であるとの主張をしない限り、裁判所は、当該行為が公序良俗に反し無効であると判断することはできない。

015 □□□ 平23-4-ア

貸金返還請求訴訟の原告であるＡがＢに対して貸金債権を有していると主張する場合に、その貸金債権の発生が認められるために直接必要な事実は、主要事実に当たり、具体的には、民法第587条に規定されている要件に該当する事実であるＡＢ間における金銭の授受及び返還合意がこれに当たる。

016 □□□ 平23-4-イ

貸金返還請求訴訟の原告であるＡがＢに対して貸金債権を有していると主張し、これに対してＢが、既に借受金を弁済したと主張している場合、この事実は、民法第587条に規定されている事実ではないので、主要事実ではなく、間接事実である。

○ **013**

裁判所は、当事者が主張していない事実を認定して裁判の基礎とすることはできない（弁論主義の第1原則）。この点、この弁論主義の第1原則は、主要事実について適用がある。

× **014**

裁判所は、当事者が特に公序良俗違反（民90）による無効の主張をしなくても、同条違反に該当する事実の陳述さえあれば、その有効無効の判断をすることができる（最判昭36.4.27）。

○ **015**

権利の発生、変更又は消滅という法律効果の判断に直接必要な事実を主要事実というが、貸金返還請求訴訟において原告が貸金債権の発生を主張する場合、民法587条に規定されている要件に該当する事実である金銭の授受及び返還の約束が主要事実となる。

× **016**

弁済の事実は権利の消滅をもたらすものであり、貸金返還請求訴訟等において被告の抗弁となるが、抗弁は実体法上の要件に該当する事実を主張立証して権利の消滅等という法律効果を導くものであり、主要事実である。

017 □□□ 平19-2-エ

主要事実であっても、裁判所が職務上知り得たものについては、当事者が主張しなくても、裁判所は、これを判決の基礎とすることができる。

018 □□□ 平25-3-ア（令2-2-ア）

所有権に基づく土地の明渡請求訴訟において、原告が被告に対して当該土地の使用を許した事実を原告自身が主張し、裁判所がこれを確定した場合には、被告が当該事実を自己の利益に援用しなかったときでも、裁判所は、当該事実を判決の基礎とすることができる。

019 □□□ 平25-3-エ（平19-2-ウ、令2-2-イ）

裁判所は、債務不履行に基づく損害賠償請求訴訟において、債務者である被告が原告である債権者の過失となるべき事実を主張し、この事実が証拠から認められる場合には、被告が過失相殺の主張をしていないときであっても、過失相殺の抗弁を判決の基礎とすることができる。

020 □□□ 平23-4-オ

原告が主張する間接事実について被告が争わない場合には、裁判所は、その事実に拘束されるので、これに反する事実を認定して裁判の資料とすることはできない。

× **017**

請求を理由づける事実である主要事実については、当事者の主張がない限り、裁判所がこれを判決の基礎とすることはできない(弁論主義の第１原則)。したがって、裁判所が職務上知り得たものであっても、当事者が主張しない主要事実を判決の基礎とすることはできない。

○ **018**

弁論主義は事実・証拠の収集についての裁判所と当事者側との役割分担の問題であり、主張責任を負う者が主張した事実であると、相手方が主張した事実であるとを問わず、双方当事者のいずれかが主張した事実であれば、裁判所はこれを裁判の基礎とすることができる（主張共通の原則)。

○ **019**

過失相殺（民418・722Ⅱ）は、債務者の主張がなくても裁判所はこれを判決の基礎とすることができる（最判昭43.12.24)。

× **020**

裁判所は当事者間に争いのない事実についてはそのまま判決の資料としなくてはならない（弁論主義の第２原則 自白の拘束力)。この点、弁論主義の第２原則は主要事実について適用され、間接事実については適用されない。したがって、裁判所は証拠から当該間接事実に反する事実を認定して裁判の資料とすることができる。

021 □□□ 令3-2-ア

期日は、申立てにより又は職権で、裁判長が指定する。

022 □□□ 平21-2-ア

当事者は、訴訟の係属中、相当な期間を定めて、相手方に対し、主張又は立証を準備するために必要な事項について、相手方の意見を書面で回答するよう照会をすることができる。

023 □□□ 平21-1-ウ

「原告と被告との間の消費貸借契約に基づく貸金債権が弁済期の到来から５年間の経過をもって時効により消滅した。」との被告の主張に対し、原告は「被告は、弁済期の到来から３年後に、当該貸金債務について、後日支払う旨の延期証を差し入れた。」との主張をした。被告がこれを認める旨陳述した場合、裁判所は、被告の自白に拘束されない。

024 □□□ 平12-4-1

合議体の裁判官の過半数が交代した場合において、その前に尋問をした証人について、当事者が更に尋問の申出をしたときは、裁判所は、当該証人の尋問をしなければならない。

025 □□□ 平12-4-2

単独の裁判官が交代し、その直後の口頭弁論の期日において、原告が出頭しなかった場合には、被告は、従前の口頭弁論の結果を陳述することはできない。

○ **021**

期日は、申立てにより又は職権で、裁判長が指定する（93Ⅰ）。

× **022**

当事者は、当事者照会手続において、意見を求める照会をすることができない（163④）。

× **023**

債務の承認は、債権の消滅時効の成立を妨げる抗弁事実であり、主要事実である。被告が原告の主張する主要事実を認める旨の陳述をすると、裁判上の自白が成立し、裁判所は、被告の自白に拘束されることになる。

○ **024**

合議体の裁判官の過半数が代わった場合において、その前に尋問をした証人について、当事者が更に尋問の申出をしたときは、直接主義の要請から、裁判所は、当該証人の尋問をしなければならない（249Ⅲ）。

× **025**

弁論の更新は、当事者双方が出頭して、自己の弁論の結果を各々陳述するのが通常であるが、当事者の一方が出頭しなかった場合には、出頭した他方の当事者が、双方の従前の弁論結果を陳述すれば足りる（最判昭31.4.13）。

026 □□□ 平12-4-3

合議体で審理をしていた事件について、合議体で審理及び裁判をする旨の決定が取り消され、その中の一人の裁判官が単独で審理を進めることとなった場合には、当事者は、従前の口頭弁論の結果を陳述する必要はない。

○ **026**

合議体の事件が単独体の審理に移った場合において、その中の一人の裁判官が単独で審理を進めるときは、直接主義の要請は担保されているので、弁論の更新は必要ない（最判昭26.3.29）。

⑤ 口頭弁論の準備（争点整理手続）

027 □□□ 平18-2-1

準備的口頭弁論の期日においては、証人尋問を実施することはできない。

028 □□□ 平4-2-1（平24-3-1）

裁判所は口頭弁論を開くことなく、直ちに弁論準備手続をすることができない。

029 □□□ 平28-4-2

当事者の一方が弁論準備手続の期日に出頭しないときは、裁判所は、弁論準備手続を終結することができる。

030 □□□ 平24-3-2

弁論準備手続において当事者が申し出た者については、裁判所は、手続を行うのに支障を生ずるおそれがあると認める場合を除き、その傍聴を許さなければならない。

031 □□□ 平16-3-イ改題

裁判所は、弁論準備手続において、証人尋問をすることができる。

× **027**

争点及び証拠の整理を口頭弁論期日において行う手続が準備的口頭弁論であり、その法律上の性質は口頭弁論にほかならないから、証拠調べについても制限はない（164～167）。

× **028**

裁判所は、事件の内容や性質に応じて、当事者に異議がないときは、最初の口頭弁論期日を指定することなく、直ちに弁論準備手続をすることができる（民訴規60Ⅰ但書）。

○ **029**

当事者が期日に出頭しないときは、裁判所は、弁論準備手続を終了することができる（170Ⅴ・166）。この点、裁判所は、当事者の双方が不出頭の場合も、一方のみが不出頭の場合も、弁論準備手続を終了することができる。

○ **030**

裁判所は、相当と認める者の傍聴を許すことができる（169Ⅱ本文）。ただし、当事者が申し出た者については、手続を行うのに支障を生ずるおそれがあると認める場合を除き、その傍聴を許さなければならない（169Ⅱ但書）。

× **031**

弁論準備手続においては、証拠の申出に関する裁判その他の口頭弁論の期日外においてすることができる裁判及び文書の証拠調べをすることはできる(170Ⅱ)が、証人尋問をすることはできない。

032 □□□ 平28-4-4

弁論準備手続の期日においては、ビデオテープを検証の目的とする検証をすることができる。

033 □□□ 平16-3-イ（平31-4-ア）改題

裁判所は、弁論準備手続において、当事者尋問をすることができる。

034 □□□ 平18-2-4

弁論準備手続の期日において、裁判所は、訴えの変更を許さない旨の決定をすることができる。

035 □□□ 平24-3-3

弁論準備手続の期日においては、補助参加の許否についての決定をすることができない。

036 □□□ 平24-3-5

裁判所は、決定により、受訴裁判所を構成する裁判官以外の裁判官に弁論準備手続を行わせることができる。

× **032**

裁判所は、弁論準備手続の期日において、証拠の申出に関する裁判その他の口頭弁論の期日外においてすることができる裁判及び文書（231条に規定する物件を含む。）の証拠調べをすることができる（170Ⅱ）が、検証をすることはできない。

× **033**

弁論準備手続においては、証拠の申出に関する裁判その他の口頭弁論の期日外においてすることができる裁判及び文書の証拠調べをすることはできる（170Ⅱ）が、当事者尋問をすることはできない。

○ **034**

裁判所は、弁論準備手続の期日においては、口頭弁論の期日外においてすることができる裁判をすることができ（170Ⅱ）、このような裁判として、例示されている証拠の申出に関する裁判のほか、訴えの変更の許否の裁判等をすることができる。

× **035**

裁判所は、弁論準備手続の期日において、口頭弁論の期日外においてすることができる裁判をすることができる（170Ⅱ）。この裁判には、補助参加の許否の裁判（44Ⅰ）も含まれる。

× **036**

裁判所は、受命裁判官に弁論準備手続を行わせることができる（171Ⅰ）。ここで、受命裁判官とは、合議体の構成員のうちの一部の裁判官が命を受けて一定の職務行為を行う場合の、その裁判官のことを指す。したがって、受訴裁判所を構成する裁判官以外の裁判官に弁論準備手続を行わせることはできない。

037 □□□ 平18-2-3

当事者の一方からの申立てがある場合は、裁判所は、弁論準備手続に付する裁判を取り消さなければならない。

038 □□□ 平28-4-3

裁判所は、当事者の双方がいずれも弁論準備手続の期日に出頭していない場合には、裁判所及び当事者双方が音声の送受信により同時に通話をすることができる方法によって、弁論準備手続の期日における手続を行うことができない。

039 □□□ 平26-2-イ

当事者が弁論準備手続の期日に出頭しないときは、裁判所は、弁論準備手続を終了することができる。

040 □□□ 平16-1-ア

弁論準備手続の終結後における攻撃又は防御の方法の提出には、相手方の同意を要する。

041 □□□ 令2-3-ア（平18-2-2、平28-4-1）

裁判所は、当事者の同意がない場合であっても、準備的口頭弁論を行うことができるが、当事者の同意がない場合には、事件を弁論準備手続に付することができない。

× **037**

裁判所が、弁論準備手続に付する裁判を必要的に取り消さなくてはならないのは、当事者双方の申立てがある場合である（172但書）。

× **038**

裁判所は、相当と認めるときは、当事者の意見を聴いて、いわゆる電話会議システムによって、弁論準備手続の期日における手続を行うことができる（170Ⅲ）。

○ **039**

当事者が弁論準備手続期日に不出頭の場合には、裁判所は弁論準備手続を終了することができる（170Ⅴ・166）。

× **040**

弁論準備手続の終結後における攻撃又は防御の方法の提出には、相手方の同意を要しない。

× **041**

準備的口頭弁論を行うかは裁判所の裁量であり、当事者の同意は必要とされていない（164参照）。また、裁判所が、事件を弁論準備手続に付すために、当事者の意見を聴取すべきことは定められている（168）が、当事者の同意までは必要とされていない。

042 □□□ 平13-1-1

準備的口頭弁論及び弁論準備手続の両手続において、裁判所は、手続を終了又は終結するに当たり、その後の証拠調べにより証明すべき事実を当事者との間で確認するものとされている。

043 □□□ 平13-1-2

準備的口頭弁論及び弁論準備手続の両手続において、裁判長は、相当と認めるときは、手続を終了又は終結するに当たり、手続における争点及び証拠の整理の結果を要約した書面を当事者に提出させることができる。

044 □□□ 平13-1-4（平28-4-5、令2-3-オ）

準備的口頭弁論及び弁論準備手続の両手続において、手続の終了又は終結後に攻撃又は防御の方法を提出した当事者は、相手方の求めがあるときは、相手方に対し、手続の終了又は終結前にそれを提出することができなかった理由を説明しなければならない。

045 □□□ 平13-1-5（平18-1-ウ、平24-3-4）

準備的口頭弁論及び弁論準備手続の両手続において、裁判所は、相当と認めるときは、当事者の意見を聴いて、いわゆる電話会議方式によって、期日における手続を行うことができる。

○ **042**

準備的口頭弁論（164～167）も、弁論準備手続（168以下）も、いずれも争点及び証拠を整理してその後の証拠調べ手続を迅速にかつ集中して行うこと（182参照）を目的とするものである。そこで、裁判所は、手続を終了又は終結するに当たり、その後の証拠調べにより証明すべき事実を当事者との間で確認すべきものとされている（165Ⅰ・170Ⅴ）。

○ **043**

準備的口頭弁論及び弁論準備手続のいずれにおいても、裁判長は、相当と認めるときは、手続を終了又は終結するに当たり、当事者に準備的口頭弁論又は弁論準備手続における争点及び証拠の整理の結果を要約した書面を提出させることができる（165Ⅱ・170Ⅴ）。

○ **044**

準備的口頭弁論及び弁論準備手続のいずれにおいても、手続の終了又は終結後に攻撃又は防御の方法を提出した当事者は、相手方の求めがあるときは、相手方に対し、手続の終了又は終結前にこれを提出することができなかった理由を説明しなければならない（167・174）。

× **045**

弁論準備手続においては、いわゆる電話会議方式によって、期日における手続を行うことができる（170Ⅲ）。これに対して、口頭弁論においては、いわゆるウェブ会議によって、期日における手続を行うことができる(87の2Ⅰ)。この点、準備的口頭弁論も口頭弁論の一種であるため、ウェブ会議により期日の手続が可能とされるが、電話会議によることはできない。

046 □□□ 平18-2-5

書面による準備手続においては、当事者の訴訟追行の状況を考慮して必要があると認める場合でなければ、裁判長は、答弁書若しくは準備書面の提出又は証拠の申出をすべき期間を定める必要はない。

047 □□□ 令2-3-ウ

弁論準備手続においては、当事者の一方が期日に出頭した場合に限り、裁判所及び当事者双方が音声の送受信により同時に通話をすることができる方法により、期日における手続を行うことができるが、書面による準備手続においては、この方法により協議をすることができない。

× **046**

書面による準備手続においては、裁判長又は高等裁判所における受命裁判官は、答弁書若しくは特定の事項に関する主張を記載した準備書面の提出又は特定の事項に関する証拠の申出をすべき期間を定めなければならない（176Ⅱ・162）。

× **047**

弁論準備手続においては、いわゆる電話会議システムによって、弁論準備手続の期日における手続を行うことができる（170Ⅲ）。また、書面による準備手続においても、電話会議システムによって、当事者双方と協議をすることができる（176Ⅲ前段）。

6 証拠

証明の対象

048 □□□ 平3-5-1

裁判上の自白が成立した事実については、証明は要しない。

049 □□□ 平2-5-ア

公知の事実及び裁判所に顕著な事実については、証明を要しない。

050 □□□ 平28-3-ア

間接事実についての自白は、裁判所を拘束しないが、自白した当事者を拘束し、当該当事者は、当該自白を撤回することができない。

051 □□□ 平28-3-オ

外国の法規を適用すべき民事訴訟事件において、裁判所は、当該法規の内容及び解釈については、当事者の主張及び立証に基づかなければならず、職権による探知は許されない。

052 □□□ 令2-2-ウ

自白をした当事者は、相手方の同意があっても、その自白が真実に符合せず、かつ、錯誤に基づいてされたことを証明しない限り、これを撤回することができない。

○ **048**

裁判所において当事者が自白した事実は不要証となる（179）。

○ **049**

「顕著な事実」すなわち公知の事実（通常の知識と経験を有する一般人が信じて疑わない程度に知れ渡っている事実）及び裁判所に顕著な事実（裁判所がその職務を遂行するに当たって、又はこれと関連して知ることができた事実）については、不要証とされている（179）。

× **050**

自白の対象は、主要事実に限定され、間接事実についての自白は、裁判所及び自白した当事者のいずれをも拘束しない（最判昭41.9.22）。

× **051**

外国の法規については、裁判官が知っているとは限らず、また、裁判官の職責ともいえないため、証拠による証明の対象となる。ただし、弁論主義の適用はなく、むしろ裁判所は職権探知の義務を負う。

× **052**

相手方の同意があれば、自白が真実に反しかつ錯誤に出たものであることの証明を要することなく、自白の撤回が許される（最判昭34.9.17）。

証拠調べ手続

053 □□□ 平21-1-イ

書証の成立に関しては、いったんその成立を認めても、その後その成立を否認することが許される。

054 □□□ 平21-1-オ

原告が、被告に対する貸付けの際、利息として20万円を天引きしたので、実際には80万円を交付したとの事実については、原告と被告との間に争いがないところ、「元本100万円の消費貸借が成立した。」との原告の主張に対し、被告はこれを認める旨陳述した。この場合、裁判所は、原告の上記主張についての被告の自白に拘束される。

055 □□□ 平20-3-ア

証拠の申出は、証明すべき事実及びこれと証拠との関係を具体的に明示してしなければならない。

056 □□□ 平6-2-2（平20-3-イ）

証拠の申出は、口頭弁論期日にしなければならない。

057 □□□ 平20-3-ウ

証拠の申出は、証拠調べが開始される前は自由に撤回することができるが、証拠調べが終了した後は一方的に撤回することはできない。

○ **053**

書証の成立に関する事実は、証拠の信用性にかかわる補助事実であり、補助事実についての自白は裁判所や当事者を拘束しない(最判昭52.4.15)。証拠の信用性の評価は、自由心証主義（247）の下では、裁判官の自由な選択に委ねられているからである。

× **054**

法律の解釈に関する自白（権利自白）は裁判所を拘束しない（最判昭30.7.5)。主要事実から生ずる法律効果の判断はまさに裁判所の職責であり、当事者の一致した陳述によって左右される必要はないからである。

○ **055**

証拠の申出は、証明すべき事実及びこれと証拠との関係を具体的に明示してしなければならない（民訴規99Ⅰ)。

× **056**

期日前の証拠申出も認められている（180Ⅱ)。

○ **057**

証拠調べの開始前は、弁論主義の下、証拠の申出を自由に撤回することができる。一方、証拠調べの終了後は、これに影響を受けた裁判官の心証を消し去ることはできないから、撤回の余地はない（最判昭32.6.25)。

058 □□□ 令2-2-オ（平23-5-ア、平27-4-オ）

裁判所は、職権で、必要な調査を官庁・公署その他の団体に嘱託することができる。

059 □□□ 平23-5-イ

調査嘱託の嘱託先から報告書が送付された場合には、その報告書は文書であるから、当事者がこれを書証として提出し、取り調べられなければ、証拠資料にはならない。

060 □□□ 平21-2-エ

裁判所による調査の嘱託は、官庁・公署、会社その他の団体のみならず、自然人である個人に対しても行うことができる。

061 □□□ 平6-2-4

証人尋問の申出は、証人を指定してしなければならない。

062 □□□ 平9-4-5（平24-4-オ）

正当な事由なく出頭しない証人は、過料に処せられることはあっても、罰金に処せられることはない。

○ **058**

裁判所は、必要な調査を官庁若しくは公署、外国の官庁若しくは公署又は学校、商工会議所、取引所その他の団体に嘱託することができる（186）。

× **059**

調査の嘱託は、裁判所が証拠調べの一種として行うもので、調査報告書は、それが口頭弁論に顕出され、当事者に意見を述べる機会を与えれば、当事者があらためて書証として提出することを要せずに、そのまま証拠資料となる。

× **060**

裁判所は、必要な調査を官庁若しくは公署、外国の官庁若しくは公署又は学校、商工会議所、取引所その他の団体に嘱託することができる（186）。しかし、自然人である個人に対して行うことはできない。

○ **061**

証人尋問の申出は、証人を指定し、かつ、尋問に要する見込みの時間を明らかにしてしなければならない（民訴規106）。

× **062**

正当な事由なく出頭しない証人に対する制裁としては、過料の処分（192Ⅰ）に加えて、刑罰としての罰金・拘留も規定されている（193）。

063 □□□　平31-4-エ（平元-4-1、平16-3-エ）

裁判所は、主要事実について当事者間に争いがある場合において、相当と認めるときは、職権で証人尋問をすることができる。

064 □□□　平31-4-イ

証人尋問は、当事者が期日に出頭しない場合においても、することができる。

065 □□□　平26-3-ア

裁判所は、補助参加人を証人として尋問することができる。

066 □□□　平26-3-イ

口頭弁論期日において証人尋問の申出を却下された当事者は、その却下決定に対し、即時抗告により不服を申し立てることができる。

067 □□□　平16-3-ア改題

裁判所は、当事者を異にする事件について口頭弁論の併合を命じた場合において、その前に証人尋問をした者について、尋問の機会がなかった当事者が尋問の申出をしたときは、証人尋問をしなければならない。

× **063**

事実と証拠の収集を当事者の権能と責任に委ねる弁論主義の原則の下では、証拠調べは原則として当事者の申立てによらなくてはならず、裁判所が職権で証人尋問をすることはできない（弁論主義の第３原則　職権証拠調べの禁止）。

○ **064**

証拠調べは、当事者が期日に出頭しない場合においても、することができる（183）。そして、証人尋問も人証の証拠調べであるから、証拠調べ手続に関する183条が適用される。したがって、証人尋問は、当事者が期日に出頭しない場合においても、することができる。

○ **065**

裁判所は補助参加人を証人として尋問することができる（福岡高決昭28.10.30）。なぜなら、補助参加人は当該訴訟の当事者として扱われないからである。

× **066**

即時抗告は、現行法上個別に明文でその申立てを許す規定がある場合に限って認められる。この点、証人尋問の却下決定に対しては終局判決に対する上訴によって争い得るから（283参照）、即時抗告ができる場合として規定されていない。

○ **067**

裁判所は、当事者を異にする事件について口頭弁論の併合を命じた場合において、その前に尋問をした証人について、尋問の機会がなかった当事者が尋問の申出をしたときは、その尋問をしなければならない（152Ⅱ）。

068 □□□ 平31-4-ウ（平17-4-エ）

証人尋問が実施される前に当事者が当該証人尋問の申出を撤回した場合には、その当事者は、その審級において、同一の証人について証人尋問の申出をすることは許されない。

069 □□□ 平24-4-イ改題

裁判所は、証人尋問においては、証人の尋問に代えて書面の提出をさせることができる。

070 □□□ 平24-4-ウ

通常共同訴訟において、共同訴訟人Ａ及びＢのうちＡのみが第一審判決に対して控訴を提起し、Ｂについては第一審判決が確定している場合には、Ｂは、Ａについての控訴審において証人となることができる。

071 □□□ 平10-4-1（平元-4-4、平11-2-2、平16-3-エ、平24-4-ア）

証人尋問は、当事者の申立てがなければすることができないが、当事者本人の尋問は、裁判所が職権ですることができる。

072 □□□ 平10-4-4（平24-4-エ）

宣誓は、証人を尋問する場合には、法律に特別の定めがある場合を除き、これをさせなければならないが、当事者本人を尋問する場合には、裁判所が裁量によりこれをさせるかどうかを決めることができる。

× **068**

証拠の申出は、証拠調べに着手される前であれば、申立人は自由にこれを撤回することができる。そして、証拠の申出が適法に撤回されると、その証拠申出はなかったことになり、その後に同一当事者が同一証拠につき証拠の申出をすることも妨げられない。

○ **069**

証人尋問については、裁判所は、相当と認める場合において、当事者に異議がないときに限り、証人の尋問に代えて書面の提出をさせることができる（205）。

○ **070**

通常共同訴訟において、共同訴訟人Ａ及びＢのうちＡのみが、第一審判決に対して控訴を提起し、Ｂについては第一審判決が確定している場合、Ｂに関する訴訟は既に終了しているのであるから、Ｂは、Ａについての控訴審において証人となることができる（最判昭34.3.6）。

○ **071**

証人尋問（190以下）は、当事者が証人を指定して申し出ることによってなされる（民訴規106）。これに対して、当事者尋問は、当事者の申立てによるばかりでなく、職権によることも認められている（207Ⅰ前段）。

○ **072**

証人には、特別の定めがある場合を除き、宣誓をさせなければならない（201Ⅰ）。これに対して、当事者尋問に際して当事者本人に宣誓させるかどうかは、裁判所の裁量に委ねられている（207Ⅰ後段）。

073 □□□ 平31-3-ウ

訴訟代理人がある場合であっても、裁判所は、訴訟関係を明瞭にするため、当事者本人に対し、口頭弁論の期日に出頭することを命ずることができる。

074 □□□ 平31-4-オ

当事者本人を尋問する場合において、その当事者が正当な理由なく出頭しないときは、裁判所は、尋問事項に関する相手方の主張を真実と認めることができる。

075 □□□ 平10-4-3（令5-4-オ）

正当な理由なく出頭しない者の勾引は、その者が、証人である場合には行うことができるが、当事者本人である場合には行うことができない。

076 □□□ 平24-4-オ

裁判所は、当事者本人の尋問の決定を受けた当事者が、正当な理由なく出頭しないときは、過料に処することができる。

077 □□□ 令6-3-ウ

当事者本人を尋問する場合において、その当事者が正当な理由なく出頭しなかったときは、裁判所は、尋問事項に関する相手方の主張を真実と認めなければならない。

○ **073**

裁判所は、訴訟関係を明瞭にするため、当事者本人又はその法定代理人に対し、口頭弁論の期日に出頭することを命ずることができる（151Ⅰ①）。

○ **074**

当事者本人を尋問する場合において、その当事者が、正当な理由なく、出頭せず、又は宣誓若しくは陳述を拒んだときは、裁判所は、尋問事項に関する相手方の主張を真実と認めることができる（208）。これは、証拠方法が当事者本人であるという特質を踏まえ、当事者が文書提出命令に従わない場合（224）と類似の制裁を定めたものである。

○ **075**

証人は不代替的な存在であるから、正当な理由なく出頭しないときは、勾引を命ずることができる（194Ⅰ）。一方、当事者本人を勾引させることはできない（208参照）。

× **076**

当事者の出頭義務違反に対する制裁は、「尋問事項に関する相手方の主張を真実と認めること」である（208）。

× **077**

当事者本人を尋問する場合において、その当事者が、正当な理由なく出頭しなかったときは、裁判所は、尋問事項に関する相手方当事者の主張を真実と認めることができる（208）。

078 □□□　平27-4-エ

裁判所は、当事者本人が未成年者である場合、職権でその法定代理人を尋問したときは、更に職権で当該未成年者である当事者本人を尋問することができない。

079 □□□　平29-1-イ

民事訴訟における訴訟能力に関して、被告が未成年者である場合であっても、被告本人に対する当事者尋問をすることができる。

080 □□□　平16-3-ア改題

裁判所は、当事者を異にする事件について口頭弁論の併合を命じた場合において、その前に当事者尋問をした者について、尋問の機会がなかった当事者が尋問の申出をしたときは、当事者尋問をしなければならない。

081 □□□　平30-3-ウ

訴訟の当事者は、他の訴訟において行われた証人尋問の口頭弁論調書について、書証の申出をすることができる。

082 □□□　平30-3-エ

裁判所は、文書提出命令の申立てに係る文書の一部に提出の義務があると認めることができない部分がある場合には、その部分以外の部分につき当該申立てを理由があると認めるときであっても、当該申立ての全部を却下しなければならない。

× **078**

法定代理人を尋問する場合には、当事者尋問の手続による（211・207）。そして、法定代理人を尋問した場合でも、当事者本人を重ねて尋問することができる（211但書）。

○ **079**

当事者尋問を受けるのは、当事者本人及びこれに代わって訴訟追行にあたっている法定代理人であり、訴訟無能力者である当事者に対しても、法定代理人に代わり、若しくはこれと並んで当事者尋問をすることができる（211但書）。

× **080**

併合前の「当事者」尋問については、証人尋問の場合と異なり、再尋問は義務付けられておらず、裁判所の裁量によるのみである（152Ⅱ参照）。

○ **081**

書証の申出は、文書を提出し、又は文書の所持者にその提出を命ずることを申し立ててしなければならない（219）。そして、証人尋問の口頭弁論調書も文書に該当することから、書証の申出をすることができる。

× **082**

裁判所は、文書提出命令の申立てを理由があると認めるときは、決定で、文書の所持者に対し、その提出を命ずる（223Ⅰ前段）。そして、この場合において、文書に取り調べる必要がないと認める部分又は提出の義務があると認めることができない部分があるときは、その部分を除いて、提出を命ずることができる（223Ⅰ後段）。

083 □□□ 平13-2-イ（平4-1-4、平25-4-ウ、令3-4-ウ）

文書の所持者が訴訟当事者であるか、又は第三者であるかにかかわらず、裁判所は、文書の提出を命じようとするときは、その文書の所持者を審尋しなければならない。

084 □□□ 平30-3-オ

第三者に対してされた文書提出命令に対し、当該文書提出命令の申立人ではない本案事件の当事者は、即時抗告をすることができる。

085 □□□ 平25-4-オ（令3-4-オ）

証拠調べの必要性を欠くことを理由として文書提出命令の申立てを却下する決定に対しては、その必要性があることを理由として独立に不服の申立てをすることはできない。

086 □□□ 平8-4-3（平19-3-4）

当事者が文書提出命令に従わないときは、裁判所はその文書に関する相手方の主張を真実と認めることができる。

087 □□□ 平25-4-エ

当事者が文書提出命令に従わない場合において、相手方が、当該文書の記載に関して具体的な主張をすること及び当該文書により証明すべき事実を他の証拠により証明することが著しく困難であるときは、裁判所は、その事実に関する相手方の主張を真実と認めなければならない。

× **083**

裁判所は、第三者に対して文書の提出を命じようとするときは、その第三者を審尋しなければならない（223Ⅱ）のに対し、当事者に対して文書の提出を命じようとするときは、その当事者を審尋することを要しない。

× **084**

文書提出命令の申立てについての決定に対しては、文書の提出を命じられた所持者及び申立てを却下された申立人以外の者は抗告の利益を有せず、本案事件の当事者であっても、即時抗告をすることはできない（最決平12.12.14）。

○ **085**

文書提出命令の申立てについての決定に対しては、即時抗告をすることができる（223Ⅶ）。もっとも、証拠調べの必要性を欠くことを理由として文書提出命令の申立てを却下する決定に対しては、必要性があることを理由として独立に不服の申立てをすることはできない（最決平12.3.10）。

○ **086**

当事者が文書提出命令に従わないときは、裁判所は、当該文書の記載に関する相手方の主張を真実と認めることができる（224Ⅰ）。

× **087**

当事者が文書提出命令に従わない場合において、相手方が当該文書の記載に関して具体的な主張をすること及び当該文書により証明すべき事実を他の証拠により証明することが著しく困難であるときは、裁判所は、その事実に関する相手方の主張を真実と認めることができる（224Ⅲ）。

088 □□□ 平13-2-ウ（平4-1-3、平21-2-イ、令3-4-エ）

文書の所持者が訴訟当事者であるか、又は第三者であるかにかかわらず、文書の所持者が文書提出命令に従わないときは、裁判所は、その文書の記載に関する申立人の主張を真実と認めることができる。

089 □□□ 平21-2-ウ

文書の送付嘱託は、文書提出義務のない者に対してすることはできない。

090 □□□ 平23-5-ウ

文書送付の嘱託は、不動産の登記事項証明書について、書証の申出をする場合に用いることができる。

091 □□□ 平23-5-エ

文書の所持者が、正当な理由なく文書送付の嘱託に応じなかった場合には、裁判所は、当該所持者に対し、決定で、過料の制裁を科すことができる。

092 □□□ 令3-4-ア

私文書は、本人の署名又は押印があるときは、真正に成立したものとみなされる。

093 □□□ 平30-3-ア

書証として提出された公文書の成立の真否について疑いがあるときは、裁判所は、職権で、当該官庁又は公署に照会をすることができる。

× **088**

当事者が文書提出命令に従わないときは、裁判所は、当該文書の記載に関する相手方の主張を真実と認めることができる（224Ⅰ）のに対し、第三者が文書提出命令に従わないときは、裁判所は、決定で、20万円以下の過料に処する（225Ⅰ）。

× **089**

文書の送付嘱託（226）は、文書の所持者に文書の提出を依頼するものであり、所持者に文書提出義務（220）があるかどうかにかかわらず、することができる。

× **090**

不動産登記記録や戸籍等の謄抄本などのように、当事者が法令によって文書の正本又は謄本の交付を求めることができる場合には、文書送付の嘱託を申し立てることはできない（226但書）。

× **091**

文書送付の嘱託の申出に対し、所持者が嘱託に応じなかった場合でも制裁を科す旨の規定はない。

× **092**

私文書は、本人又はその代理人の署名又は押印があるときは、真正に成立したものと推定する（228Ⅳ）。

○ **093**

書証として提出された公文書の成立の真否について疑いがあるときは、裁判所は、職権で、当該官庁又は公署に照会をすることができる（228Ⅲ）。

094 □□□ 令3-4-イ

文書の成立の真正についての自白は、裁判所を拘束しない。

095 □□□ 平19-3-3

文書の成立の真否は、筆跡又は印影の対照によっても、証明することができる。

096 □□□ 平11-3-2

証拠保全の申立ては、相手方を指定することができない場合には、することができない。

097 □□□ 平11-3-5

証拠保全に関する費用は、訴訟費用の一部となる。

098 □□□ 令2-4-オ

証拠保全の手続において尋問をした証人について、再度、当事者が口頭弁論における尋問の申出をした場合には、裁判所は、その申出を却下しなければならない。

099 □□□ 平21-2-オ

証拠保全の申立ては、訴えの提起後においてもすることができる。

○ **094**

文書の成立の真正は補助事実であり、証拠の信用性に関する事実である補助事実に関しては、裁判上の自白の成立は否定されている（最判昭52.4.15）。

○ **095**

文書の成立の真否は、筆跡又は印影の対照によっても証明することができる（229Ⅰ）。

× **096**

証拠保全の申立ては、相手方を指定することができない場合においても、することができる（236前段）。この場合においては、裁判所は、相手方となるべき者のために特別代理人を選任することができる（236後段）。

○ **097**

証拠保全は、事前に証拠調べをしてその結果を確保しておくための証拠調べであって、本訴訟の事実認定のためにされるものであるから、その費用は、当該訴訟の追行及び審判のために直接必要なものとして、訴訟費用の一部となる（241）。

× **098**

証拠保全の手続において尋問をした証人について、当事者が口頭弁論における尋問の申出をしたときは、裁判所は、その尋問をしなければならない（242）。

○ **099**

証拠保全の申立ては、訴え提起の前後を問わずすることができる（235参照）。

100 □□□　平11-3-1（平27-4-イ）

裁判所は、必要があると認めるときは、訴訟の係属中、職権で、証拠保全の決定をすることができる。

101 □□□　令2-4-イ

証拠保全の手続においては、当事者尋問を行うことができない。

102 □□□　令2-4-ウ

証拠保全の決定に対しては、不服を申し立てることができない。

自由心証主義

103 □□□　平28-3-イ

所有権に基づく土地明渡請求訴訟において、原告が自ら被告に対しその土地の使用を許したとの事実を主張し、当該事実が証拠により認められる場合には、被告が抗弁として当該事実を自己の利益に援用しなかったときであっても、裁判所は、原告の請求の当否を判断するについて当該事実を斟酌しなければならない。

○ **100**

証拠保全の目的は、将来の証拠調べが不能又は困難となることを回避することにあるから、当事者からの申立てを待っていてはその目的を達することができない場合がある。そこで、裁判所は、必要があると認めるときは、訴訟の係属中、職権で、証拠保全の決定をすることができる（237）。

× **101**

証拠保全の手続における証拠調べは、本訴訟における証拠調べの規定によって行われ、原則として、あらゆる種類の証拠方法について認められる（234）。

○ **102**

証拠保全の決定に対しては、不服を申し立てることができない（238）。

○ **103**

所有権に基づく土地明渡請求訴訟において、本来被告の主張立証すべき使用貸借の事実を原告が主張した場合、被告が援用せずとも、裁判所は、この事実を斟酌して審理するべきである（最判昭41.9.8）。

104 □□□ 平11-2-3

裁判所が、当事者の一方の提出した証拠を相手方にとって有利な事実の認定のために用いることは、弁論主義に反する。

105 □□□ 平21-1-エ

原告が主張した間接事実を被告が認めた場合であっても、裁判所は、これと相反する事実を証拠により認定することを妨げられない。

106 □□□ 平13-3-イ（平17-1-1）

自由心証主義は、主要事実及び間接事実のみならず、補助事実についても適用される。

107 □□□ 平13-3-ウ（平17-1-5）

自由心証主義の下では、弁論の全趣旨のみで事実認定をすることも許される。

108 □□□ 平13-3-エ（平17-1-4）

自由心証主義の下では、反対尋問を経ない伝聞証言には証拠能力が認められない。

× **104**

弁論主義は、訴訟資料の収集についての裁判所と当事者との間の役割分担の問題であって、提出された証拠をどのように評価するかは自由心証主義（証拠力の自由評価）の問題であるから、当事者の一方が提出した証拠は、証拠共通の原則によりその者にとって有利な事実の認定に用いるだけでなく、不利な事実の認定に用いることができる（最判昭28.5.14）。

○ **105**

原告が主張した間接事実を被告が認めた場合であっても、裁判上の自白は成立しないから、これと相反する事実を証拠により認定することを妨げられない。

○ **106**

自由心証主義（247）は、証拠の証明力に影響を与える補助事実についても適用される。補助事実につき自由心証主義が認められないとするならば、事実の認定を裁判官の自由な心証に委ねる自由心証主義の建前に反することになるからである。

○ **107**

自由心証主義（247）の下では、裁判官に証拠力の自由な評価が許されているので、弁論の全趣旨のみで心証形成ができるときは、これのみで心証形成をして事実認定をすることができる（最判昭27.10.21）。

× **108**

自由心証主義（247）の下では、証拠方法の無制限が認められるから、反対尋問を経ていない伝聞証言であっても、証拠能力が認められる（最判昭27.12.5）。

109 □□□ 平17-1-2

裁判所は、相当と認めるときは、裁判所外で受命裁判官に証拠調べをさせることができるが、これは、自由心証主義の原則と関係がある。

110 □□□ 平17-1-3

裁判所は、当事者双方が証拠調べの終了後に当該証拠を証拠として用いないこととする旨の合意をしても、この合意に拘束されないが、これは、自由心証主義の原則と関係がある。

訴え提起前の証拠収集の処分に関して

111 □□□ 平18-3-2

予告通知の書面には、提起しようとする訴えに係る請求の趣旨及び原因を記載する必要はなく、その訴えに係る請求の要旨及び紛争の要点を記載すればよい。

112 □□□ 平18-3-1

被告となるべき者は、訴えを提起しようとする者からの予告通知の書面を受領すれば、これに対する返答をするに先立ち、予告通知をした者に対し、訴えの提起前における照会をすることができる。

× 109

事実認定のための弁論の聴取や、証拠の取調べを受訴裁判所の裁判官自身が行う原則を、直接主義というが、直接主義の原則の下であっても、裁判所は、相当と認めるときは、裁判所外で受命裁判官に証拠調べをさせることができる（185Ⅰ）。本肢は、直接主義の原則と関係のある記述であり、自由心証主義の原則とは関係がない。

○ 110

自由心証主義の原則は強行的であり、当事者の合意によっても制限することはできないことから、裁判所は、当事者双方が証拠調べの終了後に当該証拠を証拠として用いないこととする旨の合意をしても、この合意に拘束されない。したがって、本肢は、自由心証主義の原則と関係がある。

○ 111

訴状には、請求の趣旨及び原因を記載する必要があるが（134Ⅱ②)、予告通知の書面には、提起しようとする訴えに係る請求の要旨及び紛争の要点を記載すれば足りる（132の2Ⅲ)。

× 112

予告通知を受けた者が、予告通知をした者に対して訴えの提起前における照会をするには、書面で予告通知に対する返答をした後でなければならない（132の3Ⅰ)。

113 □□□ 平18-3-3

訴えの提起前における照会がされたにもかかわらず、正当な理由なくこれに回答しなかったときは、過料の制裁を受けることがある。

114 □□□ 平18-3-4

訴え提起前の証拠収集処分においては、裁判所は、文書の所持者に対して、文書の提出を命じることができる。

115 □□□ 平18-3-5

裁判所が訴え提起前の証拠収集処分をしたにもかかわらず、予告通知をした者が訴えを提起しないときは、裁判所は、予告通知を受けた者の申立てにより、予告通知をした者に対して、訴えを提起すべきことを命じなければならない。

× 113

予告通知制度において、回答をしなかったことについて法律上の特別の制裁は設けられていない。

× 114

予告通知者又は答弁要旨書によって予告通知に返答した被予告通知者は、裁判所に対し、訴え提起前の証拠収集処分の申立てをすることができるが（132の4）、申立てが可能な処分としては、132条の4第1項各号に掲げる事項に限られ、文書の提出を命じることはできない。

× 115

裁判所が訴え提起前の証拠収集処分をしたにもかかわらず、予告通知者が訴えを提起しないときであっても、予告通知者に対し、起訴命令（民保37Ⅰ参照）を発することは予定していない。

民事訴訟法

第4編

訴訟の終了

1 当事者の行為による終了

001 □□□ 平9-5-4（平26-5-ア）

控訴審においては、控訴の取下げをすることはできるが、訴えの取下げをすることはできない。

002 □□□ 平9-5-2（平20-4-エ）

被告が第1回口頭弁論期日に出頭した場合には、答弁書その他の準備書面を提出せず、弁論せずに退廷したときであっても、原告がその後に訴えを取り下げるには、被告の同意を得なければならない。

003 □□□ 平27-5-イ（平元-3-5、平22-5-エ）

被告が本案について準備書面を提出し、弁論準備手続において申述をした場合、原告は、判決が言い渡された後でも当該判決が確定するまで、被告の同意を得た上で、訴えを取り下げることができる。

004 □□□ 平31-5-オ

訴えの取下げは、相手方が訴えの却下を求める準備書面を提出した後にあっては、当該相手方の同意を得なければ、その効力を生じない。

005 □□□ 平3-3-5（平26-5-エ）

本訴が取り下げられた場合において、反訴を取り下げるためには、相手方の同意を要する。

× **001**

控訴人は、控訴審の終局判決がされるまでは控訴を取り下げることができる（292Ⅰ）。訴えの取下げは、訴訟係属中であれば判決が確定するまで許される（261Ⅰ）。したがって、控訴審においても、訴えの取下げをすることができる。

× **002**

被告が口頭弁論期日に出頭した場合でも、答弁書その他の準備書面を提出せず、弁論せずに退廷したときは、原告は、被告の同意を得ずに訴えを取り下げることができる（261Ⅱ本文参照）。

○ **003**

原告は判決が確定するまで、その訴えを取り下げることができる（261Ⅰ）。この点、被告が本案について、準備書面を提出し、弁論準備手続で申述をし、又は口頭弁論をした後にあっては、原告は取下げについて、被告の同意を得なければならない（261Ⅱ）。なぜなら、この場合、被告側に訴訟追行をして請求棄却判決を得る利益が生ずるからである。

× **004**

訴えの取下げは、相手方が既に「本案」について準備書面を提出した後にあっては、相手方の同意を得なければ、その効力を生じない（261Ⅱ本文参照）。この点、本条の「本案」とは請求の当否に関する事項をいうため、被告が訴訟要件の不存在を理由に訴えの却下を求めている場合にはその同意を得ることを要しない。

× **005**

本訴の取下げがあった後は、反訴原告は、反訴被告の同意を得ることなく、反訴の取下げをすることができる（261Ⅱ但書）。

006 □□□ 平31-5-イ

訴えの取下げは、和解の期日において口頭ですることができる。

007 □□□ 平16-2-ア（平20-4-ア）

訴えの取下げは、口頭弁論期日においては口頭ですることができるが、弁論準備手続期日においては書面でしなければならない。

008 □□□ 平29-3-ア

訴えの取下げを口頭弁論の期日において口頭でする場合には、相手方がその期日に出頭していることを要する。

009 □□□ 平9-5-1（平4-4-4、平20-4-ウ）

原告が訴えの取下げをしたのが第一審の終局判決を受ける前であれば、後に同一の訴えを提起することも許される。

010 □□□ 平16-2-エ

訴えを却下した判決の後に当該訴えを取り下げた場合には、原告は、同一の訴えを提起することができない。

○ **006**

訴えの取下げは、原則として、書面でしなければならない（261Ⅲ本文）が、口頭弁論、弁論準備手続又は和解の期日においては、口頭ですることができる（261Ⅲ但書）。

× **007**

訴えの取下げは、原則として、書面でしなければならない（261Ⅲ本文）が、口頭弁論、弁論準備手続又は和解の期日においては、口頭ですることができる（261Ⅲ但書）。

× **008**

相手方欠席の期日において口頭で訴えを取り下げた場合には、期日の調書の謄本を相手方に送達しなければならない（261Ⅳ参照）。これは、口頭弁論期日において相手方が欠席していても、訴えの取下げができることを前提としている。

○ **009**

再訴禁止効がはたらくのは、本案について終局判決があった後のことである（262Ⅱ）。これは、終局判決後に訴えを取り下げることにより判決に至るまでの裁判所の努力を徒労に帰せしめたことに対する制裁の意図である（最判昭52.7.19）。

× **010**

原告が同一の訴えを提起することができないのは、本案について終局判決があった後に訴えを取り下げた場合であり（262Ⅱ）、訴えを却下した判決の後に当該訴えを取り下げた場合でも、原告は、同一の訴えを提起することができる。

011 □□□ 平7-1-4（平元-2-3、平20-4-イ）

弁論準備手続の期日に当事者の双方が欠席した場合において、１月内に当事者から期日指定の申立てがされないときは、訴えが取り下げられたものとみなされる。

012 □□□ 平16-2-ウ（平26-2-エ）

請求の放棄又は認諾をする旨の書面を提出した当事者が口頭弁論期日に出頭しないときは、裁判所は、その旨の陳述をしたものとみなすことができる。

013 □□□ 平31-5-ウ

当事者が期日外において裁判所に対し請求の放棄をする旨の書面を提出した場合であっても、その当事者が口頭弁論の期日に出頭してその旨の陳述をしない限り、請求の放棄の効力は生じない。

014 □□□ 平16-2-オ

請求の放棄は、株主総会決議取消訴訟においてもすることができる。

015 □□□ 平22-5-イ

請求の放棄には、条件を付することはできないが、請求の認諾は、原告が一定の財産上の給付をすることを条件にすることができる。

○ **011**

当事者双方が、口頭弁論又は弁論準備手続の期日に出頭しない場合において、1月以内に期日指定の申立てをしないときは、訴えの取下げがあったものとみなされる（263前段）。

○ **012**

請求の放棄又は認諾をする旨の書面を提出した当事者が口頭弁論期日に出頭しないときは、裁判所は、その旨の陳述をしたものとみなすことができる（266Ⅱ）。

× **013**

請求の放棄又は認諾をする旨の書面を提出した当事者が口頭弁論等の期日に出頭しないときは、裁判所又は受命裁判官若しくは受託裁判官は、その旨の陳述をしたものとみなすことができる(266Ⅱ)。

○ **014**

請求の放棄（266）は、株主総会決議取消訴訟（会831Ⅰ）においてもすることができる。

× **015**

請求の放棄・認諾の意思内容は、訴訟物とされる請求の当否についての相手方の主張を無条件に認めるものでなければならない。したがって、請求の放棄・認諾のいずれについても、条件を付すことはできない。

016 □□□ 平27-5-オ

原告が被告に対し、所有権に基づいて土地の引渡しを請求する訴えを提起した場合において、被告が口頭弁論の期日で「原告から100万円の支払を受けることを条件として、原告の請求を認める。」旨陳述したときは、請求の認諾がされたものとなる。

017 □□□ 平22-5-ウ

請求の放棄及び請求の認諾は、いずれも弁論準備手続の期日において行うことができる。

018 □□□ 平27-5-エ

請求の放棄は、和解の期日においてもすることができる。

019 □□□ 平22-5-オ

訴えの取下げがあると、訴訟係属は、遡及的に消滅するが、請求の放棄がされても、訴訟係属は、遡及的には消滅しない。

× 016

請求の認諾に条件を付すことは許されず、相殺や同時履行の抗弁を留保して被告が原告の請求を認めても、認諾としては扱われない。これは、訴訟終了効などが不安定になることを防ぐ趣旨である。

○ 017

請求の放棄又は認諾は、口頭弁論等の期日においてする(266Ⅰ)。ここでいう口頭弁論等の期日とは、口頭弁論、弁論準備手続又は和解の期日をいう(261Ⅲ)。したがって、いずれも弁論準備手続の期日において行うことができる。

○ 018

請求の放棄又は認諾は、口頭弁論等の期日においてする(266Ⅰ)。この点、口頭弁論等の期日とは、口頭弁論期日、弁論準備手続期日及び和解の期日をいう(261Ⅲ)。したがって、請求の放棄は、和解の期日においてもすることができる。

○ 019

訴えの取下げがあると、訴訟は、訴えの取下げがあった部分については、初めから係属していなかったものとみなされ、訴え提起に基づく法律関係や、当事者及び裁判所の訴訟行為の効果が遡及的に消滅する(262Ⅰ)。これに対して、請求の放棄・認諾は、それが調書に記載されることによって確定判決と同一の効力が生ずるので(267)、訴訟係属を遡及的に消滅させないことを前提としている。

020 □□□ 平11-5-5（平29-2-ウ、令5-3-エ）

当事者が裁判上の和解をした場合において、和解の費用について特別の定めをしなかったときは、裁判所は、申立てにより又は職権で、和解費用の負担の裁判をしなければならない。

021 □□□ 平11-5-3

裁判所は、口頭弁論の終結後、判決の言渡しまでの間においても、和解を試みることができる。

022 □□□ 平11-5-4

裁判所は、当事者の一方の申立てがあるときは、事件の解決のために適当な和解条項を定めることができる。

× 020

当事者が裁判上の和解（起訴前の和解及び訴訟上の和解）をした場合において、和解の費用又は訴訟費用の負担について特別の定めをしなかったときは、その費用は、各自が負担する（68）。

○ 021

裁判所は、口頭弁論終結後、判決の言渡しまでの間においても、和解を試みることができる（89Ⅰ）。

× 022

裁判所等は、「当事者の共同の申立て」があるときは、事件の解決のために適当な和解条項を定めることができる（265Ⅰ）。

② 終局判決による訴訟の終了

判決の効力

023 □□□ 平7-2-2

判決は、言渡しによって効力を生ずる。

024 □□□ 平31-2-ア

裁判所が当事者の主張しない主要事実を認定し、これに基づいて判決をすることは、民事訴訟法第246条に違反する。
（参考）
民事訴訟法
第246条　裁判所は、当事者が申し立てていない事項について、判決をすることができない。

025 □□□ 平31-2-エ

300万円の貸金債務のうち150万円を超えて貸金債務が存在しないとの確認を求める訴訟において、裁判所が200万円を超えて貸金債務が存在しないと判決をすることは、民事訴訟法第246条に違反しない。

026 □□□ 平31-2-オ

土地の賃借人が当該土地の賃借権に基づき当該土地上の工作物の撤去を求める訴訟において、裁判所が当該賃借人の主張しない占有権を理由として請求を認容することは、民事訴訟法第246条に違反しない。

○ **023**

判決は、言渡しによってその効力を生ずる(250)。言渡しの前は、判決内容が決定されて判決原本が作成されても訴訟上の価値を持たない。

× **024**

裁判所が当事者の主張しない主要事実を判決の資料として認定することは、弁論主義の第1原則に違反し、処分権主義の内容である246条には違反しない。

○ **025**

原告が300万円の債務のうち150万円を超える債務は存在しないことの確認を求めている場合に、裁判所が300万円の債務のうち200万円を超える債務は存在しないとの確認判決をすることは、処分権主義に反しない（最判昭40.9.17）。

× **026**

判例は、原告の主張する賃借権に基づく妨害排除請求に対して、主張していない占有権を理由として請求を認容することは処分権主義違背に当たるとしている（最判昭36.3.24）。

027 □□□ 平18-5-2

中間判決は、当事者の申立てがなくても、することができる。

028 □□□ 平22-4-ア

建物の賃貸借契約の終了を理由とする建物明渡請求訴訟において、原告が立退料の支払と引換えに明渡しを求めている場合には、裁判所は、原告の申出額を超える立退料の支払と引換えに明渡しを命ずる判決をすることはできない。

029 □□□ 平31-2-イ

買主が売主に対し売買契約に基づく動産の引渡しを求める訴訟において、売主から買主が売買代金を支払うまでは当該動産の引渡しを拒絶するとの同時履行の抗弁が主張された場合に、その抗弁が認められるときは、裁判所は、当該売買代金の支払と引換えに当該動産の引渡しを命ずる判決をすることとなる。

030 □□□ 平31-2-ウ

買主が売主に対し売買契約に基づく動産の引渡しを求める訴訟において、売主から引渡しについて履行期の合意があるとの抗弁が主張された場合に、その抗弁が認められるときは、裁判所は、当該動産の引渡義務の存在を確認する判決をすることとなる。

○ **027**

裁判所は、独立した攻撃又は防御の方法その他中間の争いについて、裁判をするのに熟したときは、中間判決をすることができる(245前段)。中間判決をするかどうかは、訴訟指揮の問題であり、当事者に申立権はない。

× **028**

建物賃貸借契約終了を理由とする建物明渡請求訴訟において、原告が立退料の支払と引換えに明渡しを求めている場合、裁判所が相当と認める額まで、立退料を増額して明渡しを命ずる判決は、質的一部認容判決として許される（最判昭46.11.25)。

○ **029**

同時履行の抗弁は権利抗弁であり、これを行使することが要件となる(最判昭27.11.27)。そして、この抗弁が認められるときは、裁判所は、引換給付の判決をすることとなる（大判明44.12.11)。

× **030**

給付、確認、形成の審判形式は、原告によって特定され、それが裁判所を拘束する（処分権主義)。本肢では、原告は動産の引渡しという給付判決を求めているのであり、裁判所は、動産の引渡義務の確認判決をすることはできない。

031 □□□ 平18-5-3（平22-4-ウ）

原告が、被告に対する貸金債務の残存元本は100万円を超えては存在しない旨の確認を求める訴えを提起した場合において、裁判所は、残存元本が100万円を超えて存在すると認定したときは、請求を棄却しなければならない。

032 □□□ 平22-4-イ

筆界確定訴訟において、裁判所は、原告が主張している筆界よりも原告所有地の面積が大きくなるような筆界を定める判決をすることができる。

033 □□□ 平19-2-ア（平25-3-ウ）

同時履行の抗弁については、当事者がその主張をしない限り、裁判所は、これを判決の基礎とすることはできない。

034 □□□ 平28-3-エ

留置権のような権利抗弁にあっては、抗弁権取得の事実関係が訴訟上主張されたとしても、権利者においてその権利を行使する意思を表明しない限り、裁判所においてこれを斟酌することはできない。

035 □□□ 令3-5-エ

第一審の民事訴訟手続において、判決は、少なくとも一方の当事者が在廷する口頭弁論期日において言い渡さなければならない。

× **031**

原告が、被告に対する貸金債務の残存元本は100万円を超えては存在しない旨の確認を求める訴えを提起した場合において、裁判所は、残存元本が100万円を超えて存在すると認定したときであっても、請求を棄却するべきではなく、一部認容判決をすべきである（246、最判昭46.11.25参照）。

○ **032**

筆界確定訴訟は形式的形成訴訟にあたり、処分権主義は妥当しない。このため、裁判所は、原告が主張している筆界よりも原告所有地の面積が大きくなるような筆界を定める判決をすることができる。

○ **033**

裁判所は、当事者が申し立てていない事項について、判決をすることができないため（246）、留置権や同時履行の抗弁権などの権利抗弁については、権利を行使する旨の当事者の主張がなければ、裁判所は、調査を開始し得ない。

○ **034**

留置権のような権利抗弁は、抗弁権取得の事実関係が訴訟上主張されたとしても、権利者がその権利を行使する意思を表明しない限り、裁判所においてこれを斟酌することはできない（最判昭27.11.27）。

× **035**

判決の言渡しは、当事者が在廷しない場合においても、することができる（251Ⅱ）。これは、判決の言渡しに当事者の訴訟行為は必要ないから、当事者が在廷しない場合であっても判決の言渡しをすることができることと定めたものである。

036 □□□ 令3-5-イ

第一審の民事訴訟手続において、裁判所は、決定をする場合には、あらかじめ、決定を告知する日を定めなければならない。

037 □□□ 平8-5-3（平18-5-4）

簡易裁判所における判決の言渡しは判決書の原本に基づかなくてもすることができる。

038 □□□ 平24-5-イ

被告が口頭弁論において原告の主張した事実を争わず、その他何らの防御の方法をも提出しない場合において、原告の請求を認容するときは、判決の言渡しは、判決書の原本に基づかないですることができる。

039 □□□ 平25-5-オ

土地の所有権確認の訴えを提起して敗訴した者が、再度、同じ土地の所有権確認の訴えを提起した場合には、前訴の口頭弁論終結後の事情を主張しているときであっても、前訴判決の既判力により、後訴は不適法な訴えとして却下される。

× **036**

決定及び命令は、相当と認める方法で告知することによって、その効力を生ずる（119）。これは、決定及び命令の方法につき、判決のように言渡しの手続に限定（250・252）せず、裁判所又は裁判官が相当と認める方法ですればよいものとし、その効力も、確定を待たず、告知することにより直ちに生ずるものと規定している。

× **037**

簡易裁判所において判決の言渡しを判決書の原本に基づかないですることができる旨の特別な規定は存在しないため、簡易裁判所における判決の言渡しであっても、地方裁判所以上の裁判所と同様に判決書の原本に基づいてする必要がある（252）。

○ **038**

被告が口頭弁論において原告の主張した事実を争わず、その他何らの防御の方法をも提出しない場合、原告の請求を認容するときは、判決の言渡しは、252条の規定にかかわらず、判決書の原本に基づかないですることができる（254Ⅰ①）。

× **039**

前訴で敗訴した者が、再度同一の訴訟物について訴えを提起した場合、前訴の口頭弁論終結後の事情を主張しているときは、その当否を審理して認容判決又は棄却判決をする。したがって、前訴判決の既判力により、後訴は不適法な訴えとして却下されるわけではない。

040 □□□ 平8-2-2（平26-4-ウ）

売買代金請求訴訟において敗訴の判決が確定した被告はその契約につき詐欺による取消権を行使して売買の消滅を主張することができない。

041 □□□ 平25-5-エ

当事者が前訴の既判力を援用しなかった結果、後訴の裁判所が誤って既判力に抵触する判断をした場合には、当該判決は、無効となる。

042 □□□ 平26-4-ア

裁判所がある訴訟要件を欠くことを理由に訴えを却下する判決を言い渡し、その判決が確定した場合には、その後当該訴訟要件が具備されたときであっても、同一の訴えを提起することはできない。

043 □□□ 令2-5-エ

訴えを却下した確定判決がその理由において訴えの利益を欠くものと判断している場合には、当該確定判決は、当該訴えに係るその他の訴訟要件の不存在についても既判力を有する。

044 □□□ 平25-5-ウ（令2-5-イ）

所有権に基づく抹消登記手続請求を認容した確定判決は、その理由中で原告の所有権の存在を認定していても、所有権の存否について既判力を有しない。

○ **040**

売買代金請求訴訟の前訴において、敗訴の判決が確定した被告は、後訴においてその契約につき詐欺による取消権を行使して売買の消滅を主張することができない（114Ⅰ、最判昭55.10.23）。

× **041**

既判力と抵触する判決は当然に無効ではなく、判決が確定する前であれば当事者は上訴で争うことができる（306）。また、判決が確定した場合であっても再審の訴えで取消しを求めることができる（338Ⅰ⑩・342Ⅲ）。

× **042**

訴訟要件の存否をめぐる争いを封じる必要から、訴訟判決にも既判力が生ずると解されている。この既判力によって確定されるのは、基準時における個々の訴訟要件の不存在であるから（最判平22.7.16参照）、基準時後に新たに発生した事実を主張することは、前訴判決の既判力に矛盾するものではなく、遮断されない。

× **043**

訴訟判決であっても、既判力を有する（最判平22.7.16）。ただし、訴訟判決の既判力は、訴え却下の事由ごと、すなわち個々の訴訟要件ごとに生じ、訴訟要件不存在一般に生ずるのではない。

○ **044**

確定判決は、主文に包含するものに限り、既判力を有する（114Ⅰ）。そのため、判決理由中の判断に関しては、既判力を有しない。

045 □□□ 平29-4-オ

AのBに対する土地の賃料支払請求訴訟において、Aの請求を棄却する判決が確定した。この場合において、その確定判決がその理由中でその土地の賃貸借契約の存否について判断していたとしても、その確定判決の既判力は、その賃貸借契約の存否の判断について生じない。

046 □□□ 令2-5-ウ（平26-4-エ）

AのBに対する150万円の貸金債権の一部請求である旨が明示された100万円の貸金返還請求訴訟において、その請求を認容する判決が確定した場合には、当該確定判決は、当該100万円の貸金債権の存在についてのみ既判力を有する。

047 □□□ 令2-5-オ

AのBに対する150万円の貸金債務の不存在確認訴訟において、当該150万円の貸金債務のうち50万円を超える債務の不存在を確認し、その余の請求を棄却する判決が確定した場合には、当該確定判決は、当該150万円の貸金債務のうち50万円の債務の存在と100万円の債務の不存在について既判力を有する。

048 □□□ 平29-4-エ

Aは、Bに対し、一個の金銭債権の数量的な一部請求であることを明示して、その金銭の支払を求める訴えを提起したが、その請求を棄却する判決が確定した。この場合において、AがBに対し、その訴えに係る金銭債権と同一の金銭債権に基づいて残部の金銭の支払を求める訴えを提起することは、特段の事情がない限り、信義則に反して許されない。

○ **045**

既判力が生ずるのは、主文に包含されるＡの賃料支払請求権についてであり、判決理由中の判断である賃貸借契約の存否については、既判力を生じない（114参照）。

○ **046**

１個の債権の数量的な一部について判決を求める旨が明示された給付訴訟においては、訴訟物となるのは当該債権の一部の存否のみであって、全部の存否ではないため、本肢においては、100万円の貸金債権の存在についてのみ既判力を有する。

○ **047**

確定判決は、主文に包含するものに限り、既判力を有する（114Ⅰ）。そして、本肢における確定判決の判決主文には、150万円の貸金債務のうち50万円を超える債務の不存在を確認し、その余の請求を棄却する旨が示されることとなる。したがって、本肢における確定判決は、150万円の貸金債務のうち50万円の債務の存在と100万円の債務の不存在について既判力を有する。

○ **048**

原告が、残部請求の訴えを提起することは、信義則に反し許されない（最判平10.6.12）。なぜなら、請求の全部又は一部の棄却判決がされた場合には、後に残部として請求できる部分はないとの判断がされているはずであり、このような場合にも残部請求が認められると、実質的には前訴で認められなかった請求の蒸し返しとなり、前訴によって紛争が解決されたと考える被告の合理的期待を裏切り、被告に二重の応訴を強いることとなるからである（同判例）。

049 □□□ 平29-4-イ

AのBに対する売買代金支払請求訴訟において、BがAに対する貸金債権をもって相殺する旨の抗弁を主張したところ、自働債権である貸金債権が不存在であると判断して請求を認容する判決が確定した。その後、BがAに対して同一の貸金債権について訴えを提起し、その存在を主張することは、その確定判決の既判力によって妨げられるものではない。

050 □□□ 令2-5-ア

AのBに対する150万円の貸金返還請求訴訟において、BがAに対する200万円の売買代金債権をもって相殺する旨の抗弁を主張したところ、当該売買代金債権の存在が認められず、Aの請求を認容する判決が確定した場合には、当該確定判決は、当該200万円の売買代金債権の不存在について既判力を有する。

051 □□□ 平8-2-5

土地の所有者Aが土地の不法占拠者Bに対して、その明渡しを求める訴訟の係属中にAがCに土地の所有権を譲渡し、Cがこの訴訟に承継参加をした場合において、Aが脱退をしたときは、BとCとの間の判決の効力はAに対しても及ぶ。

052 □□□ 平8-2-4

土地の所有者Aが、その土地を不法占拠して建物を所有しているBに対して建物収去土地明渡請求訴訟を提起し、その勝訴の判決が確定した場合において、その事実審の口頭弁論終結後にBがCに対して建物を譲渡したときは、この判決の効力はCに対しても及ぶ。

× **049**

確定判決は、主文に包含するものに限り、既判力を有し(114Ⅰ)、判決理由中の判断そのものには、原則として既判力が認められない。しかし、判決理由中の判断であっても、相殺をもって対抗した額について既判力を生ずる(114Ⅱ)。

× **050**

相殺の抗弁に対する判断につき生ずる既判力は、訴求債権と対当額の部分に限られる(114Ⅱ、大判昭10.8.24)。本肢のように、150万円の請求に対して200万円の債権による相殺の抗弁が提出され、債権不存在として相殺の抗弁が排斥された場合には、相殺によって対抗した150万円の限度で不存在の判断に既判力が生じ、50万円部分には既判力が生じない。

○ **051**

参加承継がされた場合には、参加前の原告又は被告は、相手方の承諾を得て訴訟から脱退することができ、この場合において、判決の効力は、脱退した当事者に対しても及ぶ(49Ⅰ・47Ⅰ・48後段)。

○ **052**

「口頭弁論終結後の承継人」(115Ⅰ③)とは、口頭弁論の終結後に、訴訟物たる権利関係についての地位を当事者から承継した者をいい、口頭弁論終結後に被告Bから訴訟の目的たる建物を譲り受けたCはこれに当たる。

053 □□□ 平26-4-オ

原判決の敗訴当事者の口頭弁論終結後の特定承継人は、再審の訴えを提起することができない。

054 □□□ 平24-5-エ

裁判所は、判決言渡し後1週間内に法令違反を発見したときは、その判決が上訴権の放棄により、確定した場合でも、変更判決をすることができる。

055 □□□ 平24-5-オ（平7-2-4、平14-4-ウ、令3-5-オ）

裁判所は、判決に計算違い、誤記その他これらに類する明白な誤りがあるときは、当事者による申立てがない場合であっても、更正決定をすることができる。

056 □□□ 平18-5-5

判決に明白な計算誤りがあるときは、裁判所は更正決定をすることができ、更正決定に対しては、不服を申し立てることはできない。

057 □□□ 令5-3-イ

民事訴訟法上、訴訟費用の負担の原則について、訴訟費用は敗訴の当事者の負担とすると定められている。

058 □□□ 平29-2-オ

裁判所は、事件を完結する裁判において、職権で、その審級における訴訟費用の全部についてその負担の裁判をするとともに、その額を定めなければならない。

× **053**

原判決の敗訴当事者の口頭弁論終結後の特定承継人は、原判決の既判力を受ける（115Ⅰ③）。したがって、当該承継人は、再審の訴えを提起することができる。

× **054**

上訴期間内であっても、当事者双方が上訴権の放棄をして判決が確定した場合は、変更判決をすることができない（256Ⅰ）。

○ **055**

判決に計算違い、誤記その他これらに類する明白な誤りがあるときは、裁判所は、申立てにより又は職権で、いつでも更正決定をすることができる（257Ⅰ）。

× **056**

更正決定に対しては、判決に対し、適法な控訴があったときを除き、即時抗告をすることができる（257Ⅱ）。

○ **057**

訴訟費用は、敗訴の当事者の負担とする（61）。

× **058**

裁判所は、事件を完結する裁判において、職権で、その審級における訴訟費用の全部について、その負担の裁判をしなければならない（67Ⅰ本文）。しかし、裁判所は、当該訴訟費用の額を定めることを要しない。なお、具体的な訴訟費用額を確定し、その償還請求権の額を決定することについては、費用額確定の処分（71）に委ねられている。

民事訴訟法

第5編

複雑訴訟形態

❶ 複数請求訴訟

反訴

001 □□□ 平9-1-4

反訴は、相手方当事者の同意がある場合に限り、提起することができる。

002 □□□ 平17-2-ウ改題

反訴の提起は、事実審の口頭弁論の終結に至るまで、することができる。

003 □□□ 平17-2-エ

本訴の審理の終結間際に反訴が提起されたときでも、裁判所は、訴訟を遅延させることを理由にして、それを却下することはできない。

004 □□□ 平17-2-イ（平5-1-2）

簡易裁判所においてする場合を除き、反訴の提起は書面でしなければならず、その書面を相手方に送達しなければならない。

005 □□□ 平9-1-5（平20-2-オ）

反訴の提起後に本訴の取下げがあったときは、反訴は、初めから係属しなかったものとみなされる。

× **001**

反訴の提起には、相手方の同意を要しない(146Ⅰ参照)。ただし、控訴審での反訴提起については、「相手方の同意」が要件とされている（300Ⅰ）。

○ **002**

反訴は、訴訟係属後、口頭弁論の終結に至るまで、提起することができる（146Ⅰ柱書本文)。

× **003**

反訴の提起により著しく訴訟手続を遅滞させることとなるときは、被告は、反訴を提起することができない(146Ⅰ②)。したがって、本訴の審理の終結間際に反訴が提起された場合、裁判所は、訴訟を遅延させることを理由にして、反訴を却下することができる。

○ **004**

反訴の提起は、訴えに関する規定が適用されており（146Ⅳ)、簡易裁判所においてする場合を除き（271)、書面でしなければならず（134Ⅰ)、その書面を相手方に送達しなければならない（138Ⅰ)。

× **005**

本訴が係属中であることは、反訴提起の要件（146Ⅰ柱書本文）であって、存続のための要件ではない(261Ⅱ但書参照)。したがって、反訴が初めから継続しなかったものとみなされるわけではない。

006 □□□ 平5-1-5

反訴の提起後に本訴が却下された場合には、反訴は係属しなかったものとみなされる。

訴えの変更

007 □□□ 平16-1-イ（平3-3-4）

訴えの変更をするには、相手方の同意を要する。

008 □□□ 平14-2-ア

旧請求と新請求との間に請求の基礎の同一性がない場合には、被告が同意したときであっても、請求又は請求の原因の変更をすることはできない。

009 □□□ 昭60-3-4（平14-2-ウ、平17-2-オ）

控訴審における訴えの変更は、相手方の同意がない限り許されない。

× **006**

本訴が係属中であることは、反訴提起の要件（146Ⅰ柱書本文）であって、存続のための要件ではない。したがって、反訴の提起後に本訴が却下された場合でも、反訴の訴訟係属は消滅しない。

× **007**

訴えの変更（143）とは、訴訟の係属後に、原告が当初からの手続を維持しつつ、当初の審判対象を変更することをいう。したがって、これまでの審理を利用することができ、相手方に対して不利益を与えることもないため、相手方の同意は不要である。

× **008**

訴えの変更の要件としての請求の基礎に変更がないこと（143Ⅰ本文）とは、従前の裁判資料を新請求の裁判に利用するに当たり、被告の防御の困難が生じないようにする趣旨であるから、被告が同意すれば訴えの変更は許される（大判昭11.3.13、黙示の同意につき最判昭29.6.8）。

× **009**

控訴審においても、第一審におけるのと同じ要件（143Ⅰ本文）で訴えの変更が許される（最判昭29.2.26）。したがって、控訴審における訴えの変更であっても、相手方の同意を要しない。

010 □□□ 平14-2-イ（平17-2-エ）

訴えの変更が著しく訴訟手続を遅滞させる場合であっても、相手方が同意し、又は異議を述べなければ、訴えの変更は許される。

011 □□□ 平14-2-エ（平17-2-イ）

請求又は請求の原因の変更は、書面でしなければならない。

012 □□□ 平14-2-オ（平5-5-4）

裁判所は、請求又は請求の原因の変更を不当であると認めるときは、申立てにより又は職権で、その変更を許さない旨の決定をしなければならない。

013 □□□ 平17-2-ウ改題

訴えの変更は、事実審の口頭弁論の終結に至るまで、することができる。

014 □□□ 平17-4-イ

原告は、訴えを提起した後に請求額を拡張したときであっても、手数料を追加して納める必要はない。

× **010**

訴えの変更（143）ができない場合を規定した「著しく訴訟手続を遅滞させることとなるとき（143但書）」は、公益的理由に基づいて設けられたものであるから、被告の同意をもって代替することはできない。

× **011**

請求の変更は、書面でしなければならない（143Ⅱ）。しかし、請求の原因の変更は、書面ですることを要しない（大判昭18.3.19、最判昭35.5.24）。

○ **012**

訴えの変更の要件に欠けるなど、請求又は請求の原因の変更を不当であると認めるときは、裁判所は、申立てにより又は職権で、その変更を許さない旨の決定をしなければならない（143Ⅳ）。

○ **013**

訴えの変更は、新訴の提起としての実質をもつものであることから、事実審の口頭弁論終結に至るまで、することができる（143Ⅰ、最判平14.6.11）。

× **014**

請求額の拡張のような請求の変更があった場合、変更後の請求につき訴訟の目的の価格に応じて算出して得た額から変更前の請求に係る手数料の額を控除した額の手数料を納めなければならない（民訴費３Ⅰ・別表第1の5）。

❷ 多数当事者訴訟

共同訴訟

015 □□□　平8-3-1（平20-2-エ、平22-2-オ）

通常共同訴訟と必要的共同訴訟のいずれにおいても弁論を分離できない。

016 □□□　令6-2-オ（平16-3-ア）

裁判所は、当事者を異にする事件について口頭弁論の併合を命じた場合において、その前に尋問をした証人について、尋問の機会がなかった当事者が尋問の申出をしたときは、その尋問をしなければならない。

017 □□□　平8-3-2

固有必要的共同訴訟と類似必要的共同訴訟のいずれにおいても共同して訴え、又は訴えられなければならない。

018 □□□　平8-3-3

訴えの取下げは、固有必要的共同訴訟においては、全員共同してしなければならないが、類似必要的共同訴訟においては単独でもすることができる。

× 015

通常共同訴訟においては、合一確定の要請が働かないため、共同訴訟人独立の原則（39）が妥当し、弁論の分離（152）も認められる。これに対して、必要的共同訴訟においては判決の合一確定が要求されているため、弁論の分離は認められない。

○ 016

裁判所は、当事者を異にする事件について口頭弁論の併合を命じた場合において、その前に尋問をした証人について、尋問の機会がなかった当事者が尋問の申出をしたときは、その尋問をしなければならない（152Ⅱ）。

× 017

固有必要的共同訴訟は合一確定の必要がある訴訟であるから全員が共同して訴え、又は訴えられなければならない。これに対して、類似必要的共同訴訟は、共同訴訟とすることが法律上強制されるわけではないから、その請求につき各自が当事者適格を有し、個別的に訴え又は訴えられることができる（40参照）。

○ 018

固有必要的共同訴訟は、全員が共同訴訟人として訴えを提起することが不可欠な場合であるから、訴えの取下げ（261以下）も全員が共同でしなければ効力は認められない（40Ⅰ）。これに対して、類似必要的共同訴訟は、全員が共同訴訟人になることは不可欠ではないので、共同訴訟人の一部の者が単独で訴えを取り下げることも認められる。

019 □□□ 平8-3-4（平20-2-イ、平22-2-ア）

共同訴訟人の当事者の一人が提出した証拠は、通常共同訴訟の場合は他の当事者のために資料とすることができるが、必要的共同訴訟の場合には他の当事者に不利益なものは資料とすることはできない。

020 □□□ 平22-2-ウ

必要的共同訴訟において、共同訴訟人の一人に対する相手方の訴訟行為は、他の共同訴訟人に対しても効力を生ずる。

021 □□□ 平22-2-エ（平25-1-エ）

必要的共同訴訟において、共同訴訟人の一人について訴訟手続の中断原因があるときは、その中断は、他の共同訴訟人についても効力を生ずる。

022 □□□ 平14-3-イ

Ａが、被告Ｂに対しては貸金の返還を、被告Ｃに対しては保証債務の履行を、それぞれ求めている共同訴訟において、ＡのＢに対する請求をＢが認諾しても、Ｃが共に認諾しない限り、Ｂの認諾の効力は生じない。

023 □□□ 平14-3-ア

Ａが、被告Ｂに対しては貸金の返還を、被告Ｃに対しては保証債務の履行を、それぞれ求めている共同訴訟において、Ｂに中断事由が生じたときは、ＡＢ間の訴訟手続は中断するが、ＡＣ間の訴訟手続は中断しない。

× **019**

自由心証主義（247）の下では、歴史的に一つしかない事実については、その認定判断（心証）も一つしかあり得ないから、通常共同訴訟であると必要的共同訴訟であるとを問わず共同訴訟人のうちの一人が提出した証拠は、他の共同訴訟人の事実認定の資料とすることができる（最判昭45.1.23・共同訴訟人間の証拠共通の原則）。

○ **020**

必要的共同訴訟においては、共同訴訟人について判決の合一確定のため、共同訴訟人の一人に対する相手方の訴訟行為は、その有利・不利に関わりなく、全員に対して効力を生ずる（40Ⅱ）。

○ **021**

必要的共同訴訟においては、共同訴訟人の一人について中断又は中止の原因が生じたときは、全員に対する関係で中断または中止の効力が生ずる（40Ⅲ、最判昭34.3.26）。

× **022**

通常共同訴訟においては、一人の共同訴訟人は他の共同訴訟人に制約されることなく各自独立して訴訟を追行する権能を有する（39）ので、請求の認諾も各自単独ですることができる。

○ **023**

通常共同訴訟においては、共同訴訟人独立の原則が働き、共同訴訟人の一人について生じた事項は他の共同訴訟人に影響を及ぼさない（39、最判昭34.3.26）。

024 □□□ 平14-3-エ（令5-2-イ）

Aが、被告Bに対しては貸金の返還を、被告Cに対しては保証債務の履行を、それぞれ求めている共同訴訟において、裁判所は、Cの申出により採用して取り調べた証人の証言を、Bが援用しなくても、AのBに対する請求において事実認定の資料とすることができる。

025 □□□ 平20-2-ア

同時審判の申出のある共同訴訟において、被告の一方が期日に欠席し、擬制自白が成立する場合、裁判所は弁論を分離してその被告についてのみ原告勝訴の判決をすることができる。

補助参加訴訟

026 □□□ 平21-3-ア

補助参加は、参加する他人間の訴訟が控訴審に係属中であってもすることができるが、上告審においてはすることができない。

027 □□□ 平21-3-イ（平23-2-イ、平27-2-ア）

補助参加の申出は、参加の趣旨及び理由を明らかにして、補助参加により訴訟行為をすべき裁判所にしなければならない。

028 □□□ 平27-2-イ

当事者が補助参加について異議を述べたときは、補助参加人は、参加の理由を証明しなければならない。

○ **024**

共同訴訟人の一人が提出した証拠は、他の共同訴訟人についても、援用の有無にかかわらず証拠として事実認定の資料とすることができる（大判大10.9.28、最判昭45.1.23・証拠共通の原則）。

× **025**

同時審判の申出のある共同訴訟は、弁論及び裁判を分離することができない（41Ⅰ）。したがって、共同被告の一方が欠席し、擬制自白（159）が成立する場合であっても、原告が同時審判申出の撤回をしない限り、裁判所は弁論を分離して、その被告についてのみ原告勝訴の判決をすることができない。

× **026**

補助参加をすることができる時期については制限がなく（42参照）、上告審でも参加申立てをすることができる。

○ **027**

補助参加の申出は、参加の趣旨及び理由を明らかにして、補助参加により訴訟行為をすべき裁判所にしなければならない（43Ⅰ）。

× **028**

当事者が補助参加について異議を述べたときは、補助参加人は、参加の理由を疎明しなければならない（44Ⅰ後段）。

029 □□□ 平5-4-2

補助参加の申出人は、当事者が参加につき異議を述べない場合には、参加の理由を疎明することを要しない。

030 □□□ 平5-4-3

補助参加の申出は、参加人としてすることができる訴訟行為とともにすることができる。

031 □□□ 平5-4-5（平21-3-ウ）

当事者は、参加について異議を述べないで弁論をしたときは、異議を述べる権利を失う。

032 □□□ 平27-2-ウ

補助参加の許否についての裁判に対しては、即時抗告をすることができない。

033 □□□ 平21-3-エ（平5-1-1、平23-2-ウ）

補助参加人は、上訴の提起をすることはできるが、訴えの変更や反訴の提起をすることはできない。

○ **029**

補助参加人が、「参加の理由を疎明しなければならない」のは、「当事者が補助参加について異議を述べたとき」である（44Ⅰ）。

○ **030**

補助参加が認められるか否か不明のうちは一切訴訟行為をすることができないとすると、時機を失して目的を達することができないおそれがあるため、補助参加の申出は、補助参加人としてすることができる訴訟行為（45）とともにすることができる（43Ⅱ）。

○ **031**

補助参加についての異議は、当事者がこれを述べないで弁論をし、又は弁論準備手続において申述をした後は、述べることができない（44Ⅱ）。

× **032**

補助参加の申出があった場合、当事者が参加について異議を述べたときには、補助参加の許否について決定で裁判が行われ（44Ⅰ前段）、その決定に対しては、即時抗告をすることができる（44Ⅲ）。

○ **033**

補助参加人は、訴訟について、攻撃又は防御の方法の提出、異議の申立て、上訴の提起、再審の訴えの提起その他一切の訴訟行為をすることができるが（45Ⅰ本文）、訴えの変更や反訴の提起をすることはできない。

034 □□□ 平23-2-オ改題

被参加人が提出すれば、時機に後れたものとして却下されることになる攻撃防御方法を、補助参加人が提出することはできる。

035 □□□ 平23-2-オ改題

補助参加人が弁論準備手続終結後に攻撃防御方法を提出する場合には、相手方の求めがあるときは、その終結前に提出することができなかった理由を説明しなければならない。

036 □□□ 平23-2-エ

原告が、被告に対し、保証債務の履行を求めて訴えを提起したところ、主債務者が、被告に補助参加した場合、被告が主債務の発生原因事実を自白しているとき、補助参加人がこれを否認することはできる。

037 □□□ 平5-4-4（平27-2-エ）

補助参加人は、参加について当事者が異議を述べた場合には、参加を許す裁判が確定するまでの間は、訴訟行為をすることができない。

× **034**

補助参加人は、訴訟について、補助参加の時における訴訟の程度に従いすることができないものは、することができない（45Ⅰ但書）。この点、攻撃防御方法が時機に遅れたかどうかは、被参加人を基準として判断すべきであるから、被参加人が提出の時期を失した後に参加した場合は、補助参加人は攻撃防御方法を提出することができない。

○ **035**

補助参加人は当事者に準ずる立場にあるため、弁論準備手続の終了後に攻撃防御方法を提出した当事者が、相手方の求めがあるときに、相手方に対して、弁論準備手続の終了前にこれを提出することができなかった理由を説明しなければならない（174・167）ことは、補助参加人においても同様である。

× **036**

補助参加人の訴訟行為は、被参加人の訴訟行為と抵触するときは、その効力を有しない(45Ⅱ)。そして、被参加人が自白をした後に、参加人がその事実を否認することは、被参加人の行為と抵触することになり、効力は生じない。

× **037**

補助参加申出人は、参加却下の決定が確定するまでの間は、手続に関与し訴訟行為をする権利を有するため、補助参加人は、補助参加について異議があった場合においても、補助参加を許さない裁判が確定するまでの間は、訴訟行為をすることができる（45Ⅲ）。

038 □□□ 平27-2-オ

補助参加に係る訴訟の裁判は、被参加人が補助参加人の訴訟行為を妨げた場合においても、補助参加人に対してその効力を有する。

039 □□□ 令4-1-ア

当事者は、控訴審においては、訴訟告知をすることができない。

040 □□□ 令4-1-イ

当事者は、訴訟告知をするに際し、訴訟告知の理由及び訴訟の程度を記載した書面を、訴訟告知を受ける者に直接送付しなければならない。

041 □□□ 平21-3-オ

訴訟告知を受けた者が告知を受けた訴訟に補助参加しなかった場合には、当該訴訟の裁判の効力は、その者には及ばない。

× **038**

補助参加に係る訴訟の裁判は、一定の場合を除き、補助参加人に対してもその効力を有する（46）。しかし、被参加人が補助参加人の訴訟行為を妨げた場合は、補助参加人に対して効力を有しない（46③）。

× **039**

当事者は、訴訟の係属中、参加することができる第三者にその訴訟の告知をすることができる(53Ⅰ)。この点、訴訟の係属中とは、訴えの提起から判決確定その他の事由による訴訟手続の終了までをいい、訴訟が係属する以上、第一審に係属するか、上訴裁判所に係属するかを問わない。

× **040**

訴訟告知は、その理由及び訴訟の程度を記載した書面を裁判所に提出してしなければならない（53Ⅲ）。

× **041**

訴訟告知を受けた者が訴訟に参加しなかった場合においても、裁判の効力は、参加することができた時に参加したものとみなされる（53Ⅳ）。したがって、訴訟告知を受けて補助参加しなかった者に対しても裁判の効力が及ぶ。

独立当事者参加

042 □□□ 平25-1-ア

訴訟の当事者の一方を相手方とする独立当事者参加の申出があったときは、参加の申出の書面は、当該当事者の一方に送達すれば足りる。

043 □□□ 平25-1-イ

独立当事者参加の申出においては、参加の趣旨だけでなく、その理由も、明らかにしなければならない。

044 □□□ 平25-1-オ

独立当事者参加をした者がある場合において、参加前の原告又は被告が口頭弁論をしたときは、その原告又は被告は、当該訴訟から脱退することができない。

045 □□□ 平25-1-ウ

独立当事者参加の申出は、第一審の口頭弁論終結の時までにしなければならない。

× **042**

独立当事者参加における参加の申出の書面は、当事者双方に送達しなければならない（47Ⅲ）。このことは訴訟の当事者の一方を相手方とする場合であっても異ならない。

○ **043**

独立当事者参加の申出の方式は、補助参加の申出に準じて行われるので、独立当事者参加の申出は、参加の趣旨及び理由を明らかにしてしなければならない（47Ⅳ・43Ⅰ）。

× **044**

独立当事者参加をした者がある場合には、参加前の原告又は被告は、相手方の承諾を得て訴訟から脱退することができる（48）。参加前の原告又は被告が口頭弁論をしたかどうかは、訴訟脱退の可否に影響しない。

× **045**

独立当事者参加は訴訟係属を前提とするため、訴訟が第一審又は控訴審に係属中であれば、参加が許される。

訴訟承継

046 □□□ 平25-2-ウ

当事者が死亡した場合において、その相続人が訴訟手続を受け継いだときは、既にされていた訴訟行為は、その相続人の利益となる限度においてのみその効力を生ずる。

047 □□□ 平30-1-ア

貸金返還請求訴訟の係属中に原告の死亡によって訴訟手続が中断した場合においても、その相続人は、相続の放棄をすることができる間は、当該訴訟手続を受け継ぐことができない。

048 □□□ 平30-1-イ

訴訟引受けの申立ては、上告審においてもすることができる。

049 □□□ 平30-1-オ

貸金返還請求訴訟の係属中に訴訟物とされている貸金債権が譲渡された場合において、当該貸金債権の譲受人が参加承継をしたときは、参加前の原告は、相手方の承諾を得て当該訴訟から脱退することができる。

× **046**

訴訟承継においては、新当事者が旧当事者の形成した訴訟状態を引き継ぐ。ここにいう「訴訟状態」の中には、すでに形成された裁判資料だけではなく、裁判資料提出の機会などの手続上の地位も含まれる。したがって、自白の拘束力や時機に遅れた攻撃防御方法の提出など新当事者にとって不利となり得るものも引継ぎの対象となる。

○ **047**

訴訟の当事者である原告が死亡することによって訴訟手続は中断し、相続人、相続財産管理人その他法令により訴訟を続行すべき者は訴訟手続を受け継がなければならない(124Ⅰ①)。もっとも、当事者が死亡した場合であっても、相続人は、相続の放棄をすることができる間は、訴訟手続を受け継ぐことができない(124Ⅲ)。

× **048**

訴訟引受けの申立て(50)は、事実審の口頭弁論終結前に限られ、上告審においては許されない(最決昭37.10.12)。

○ **049**

訴訟の係属中に訴訟の目的である権利の全部又は一部を譲り受けたことを主張する者は、47条1項の規定により訴訟参加ができる(49Ⅰ・51)。そして、参加前の原告又は被告は、相手方の承諾を得て訴訟から脱退することができる(48)。

大規模訴訟に関する特則

050 □□□　平16-3-オ

裁判所は、大規模訴訟に係る事件について、当事者に異議がないときは、受命裁判官に裁判所内で証人尋問をさせることができる。

○ **050**

裁判所は、大規模訴訟に係る事件について、当事者に異議がないときは、受命裁判官に裁判所内で証人又は当事者本人の尋問をさせることができる（268）。

民事訴訟法

第6編

簡易裁判所

1 簡易裁判所

001 □□□ 平27-3-ウ

簡易裁判所においては、当事者双方は、いつでも任意に裁判所に出頭し、直ちに口頭で訴えを提起し、口頭弁論をすることができる。

002 □□□ 平30-4-イ

簡易裁判所の訴訟手続においては、反訴の提起は、口頭ですることができない。

003 □□□ 令3-3-ア

民事訴訟において、簡易裁判所における請求の変更は、口頭ですることができる。

004 □□□ 平18-1-ア

簡易裁判所の訴訟手続においては、原告又は被告が口頭弁論の続行期日に欠席しても、その者が提出した準備書面を陳述したものとみなすことができる。

005 □□□ 平30-4-ウ

簡易裁判所の訴訟手続においては、証拠調べは、即時に取り調べることができる証拠に限りすることができる。

○ **001**

訴えの提起は、訴状を裁判所に提出してするのが原則であるが（134Ⅰ）、簡易裁判所においては手続が簡略化されており、口頭による起訴が認められている（271）。そして、当事者双方は、任意に裁判所に出頭し、訴訟について口頭弁論をすることができ、この場合においては、訴えの提起は、口頭の陳述によってする（273）。

× **002**

簡易裁判所における訴えは、口頭で提起することができる(271)。そして、反訴については、訴えに関する規定が適用されるため(民訴規59)、反訴についても口頭による提起が可能である。

○ **003**

請求の変更は、書面でしなければならない（143Ⅱ）。しかし、簡易裁判所の手続においては、最初の訴え提起だけでなく、請求の変更も口頭ですることができる（271参照）。

○ **004**

簡易裁判所では、口頭弁論の続行期日においても陳述擬制が認められている（277・158）。

× **005**

少額訴訟における証拠調べは、即時に取り調べることができる証拠に限りすることができるが（371）、少額訴訟以外の簡易裁判所の訴訟手続規定には、そのような規定はない。

006 □□□　平24-4-イ（平6-3-5、平16-3-ウ、令5-4-ウ）改題

簡易裁判所は、相当と認めるときは、当事者尋問に代えて、当事者に書面を提出させることができる。

007 □□□　平30-4-オ

簡易裁判所の訴訟手続においては、裁判所は、当事者の共同の申立てがあるときは、司法委員を審理に立ち会わせて事件についてその意見を聴かなければならない。

008 □□□　平8-5-4（平12-1-ウ）

簡易裁判所が財産権上の請求を認容する判決をするときは、請求の性質上仮執行ができない場合を除き、職権で仮執行の宣言をしなければならない。

009 □□□　平17-5-イ

訴え提起前の和解の申立てに当たっては、請求の趣旨及び原因を表示するだけでなく、当事者間の争いの実情も表示する必要がある。

010 □□□　平17-5-エ

訴え提起前の和解が調わない場合において、和解の期日に出頭した当事者双方の申立てがあるときは、通常の訴訟手続に移行する。

○ **006**

簡易裁判所の訴訟手続においては、審理の簡易、迅速化のため、裁判所は、相当と認めるときは、当事者本人の尋問に代えて書面の提出をさせることができる（278）。

× **007**

裁判所は、必要があると認めるときは、和解を試みるについて司法委員に補助をさせ、又は司法委員を審理に立ち会わせて事件につきその意見を聴くことができる（279Ⅰ）。そして、これらは、裁判所が裁量的判断により必要と認めたときに限られる。

× **008**

少額訴訟における請求認容判決については、職権で、仮執行宣言をしなければならないが（376Ⅰ）、通常訴訟において、財産権上の請求を認容する判決をするときは、申立てにより又は職権で仮執行宣言がされ、仮執行の必要性の判断は裁判所の裁量に任されている（259Ⅰ）。

○ **009**

訴え提起前の和解は、当事者が、請求の趣旨及び原因並びに争いの実情を表示して相手方の普通裁判所の所在地を管轄する簡易裁判所に申し立てることができる（275Ⅰ）。

○ **010**

訴え提起前の和解が調わない場合において、和解の期日に出頭した当事者双方の申立てがあるときは、裁判所は、直ちに訴訟の弁論を命ずる（275Ⅱ）。この場合、申立人は和解申立ての時に訴えを提起したものとみなされ、通常の訴訟手続に移行することになる。

011 □□□ 平17-5-ウ（平29-3-エ）

訴え提起前の和解の期日に当事者双方が出頭しなかったときは、期日が続行されることはなく、和解が調わないものとみなされて事件が終了する。

012 □□□ 平17-5-オ

訴え提起前の和解が調い、これが調書に記載されたときは、この調書の記載は、確定判決と同一の効力を有する。

× **011**

訴え提起前の和解において申立人又は相手方が和解の期日に出頭しないときは、裁判所は、和解が調わないものとみなすことができる（275Ⅲ）のであって、当然に和解が調わないものとみなされるのではない。

○ **012**

訴え提起前の和解が調ったときは、裁判所書記官は、和解内容を調書に記載しなければならず（民訴規169）、この調書の記載は、確定判決と同一の効力を有する（267）。

第7編

上訴

1 意義

001 □□□ 平23-1-エ

移送の決定及び移送の申立てを却下した決定に対しては即時抗告をすることができるが、その即時抗告は、裁判の告知を受けた日から1週間の不変期間内にしなければならない。

002 □□□ 平14-4-エ

判決と決定のいずれについても、上訴に理由があると認めるときは、自らした原裁判を更正しなければならない。

003 □□□ 平14-4-オ

判決と決定のいずれも最高裁判所に上訴をすることができる場合がある。

○ **001**

移送の決定及び移送の申立てを却下した決定に対しては、即時抗告をすることができる（21）。そして、即時抗告は、裁判の告知を受けた日から1週間の不変期間内にしなければならない（332）。

× **002**

判決についての上訴である控訴又は上告がされた場合、原裁判所は上訴に理由があると認めるときでも、自らした原裁判を更正することはできない（287Ⅰ・313・288・314Ⅱ・289Ⅱ・316Ⅰ・318Ⅴ）。一方、決定についての上訴である抗告がされた場合、原裁判所は、抗告に理由があると認めるときは、自らした原裁判を更正しなければならない（333・再度の考案）。

○ **003**

判決については、高等裁判所が第二審又は第一審としてした終局判決に対して、最高裁判所に上告することができる（311Ⅰ・Ⅱ）。また、決定についても、最高裁判所に特別抗告をすることができる場合がある（336Ⅰ）ほか、高等裁判所の決定に対しては、許可抗告をすることができる場合がある（337Ⅰ）。

❷ 控訴

004 □□□ 令4-5-ア

控訴をする権利は、第一審裁判所が判決を言い渡す前にあらかじめ放棄することができる。

005 □□□ 平7-2-5

控訴は、判決の言渡しがあった日から2週間内にしなければならない。

006 □□□ 平28-5-オ

原告の主位的請求を棄却し、予備的請求を認容した判決に対しては、原告も被告も控訴をすることができる。

007 □□□ 平10-3-1（平4-6-エ）

控訴の提起は、控訴状を控訴裁判所に提出してしなければならない。

008 □□□ 平28-5-エ（令3-3-オ）

簡易裁判所の終局判決に対する控訴の提起は、控訴状を地方裁判所に提出してしなければならない。

009 □□□ 平10-3-4（平3-3-1）

控訴の取下げをするには、相手方の同意を得ることを要しない。

× **004**

判決の内容が不分明の段階で一方当事者のみの控訴権を放棄させるのは不公平であるため、終局判決言渡し前における控訴権の放棄は無効である。

× **005**

控訴は、判決書又はこれに代わる調書の「送達を受けた日」から２週間の不変期間内に提起しなければならない（285）。

○ **006**

控訴を提起する権利は、第一審判決に対して不服を申し立てる利益（控訴の利益）を有する当事者のみに認められる。この点、主位的請求を棄却し、予備的請求を認容する判決に対しては、原告と被告の双方に控訴の利益が認められる。

× **007**

控訴の提起は、控訴状を第一審裁判所に提出してしなければならない（286Ⅰ）。

× **008**

控訴の提起は、控訴状を第一審裁判所に提出してしなければならない（286Ⅰ）。したがって、簡易裁判所の終局判決に対する控訴の提起は、控訴状を第一審裁判所である簡易裁判所に提出してしなければならない。

○ **009**

控訴の取下げとは、控訴人による原判決に対する不服申立て（控訴）を撤回する訴訟行為をいう（292Ⅰ）。控訴の取下げには、訴えの取下げとは異なり、相手方の同意を要しない（292Ⅱによる261Ⅱの不準用、最判昭34.9.17）。

010 □□□ 平6-4-2（平4-4-1）

第1審原告は、自ら控訴した後に、訴えを取り下げることはできない。

011 □□□ 平28-5-ウ

控訴は、被控訴人から附帯控訴が提起された場合には、当該被控訴人の同意がなければ、取り下げることができない。

012 □□□ 平28-5-ア

控訴が不適法でその不備を補正することができないときは、控訴裁判所は、口頭弁論を経ないで、決定で、控訴を棄却することができる。

013 □□□ 平28-5-イ（平3-3-3、平5-1-3、平16-1-ウ、平17-2-オ）

控訴審においては、反訴の提起は、相手方の同意がある場合に限り、することができる。

014 □□□ 平10-3-5（平4-6-オ、平6-4-3）

被控訴人は、控訴権を放棄・喪失した後であっても、控訴審の口頭弁論の終結に至るまで、附帯控訴をすることができる。

× **010**

訴えは、判決が確定するまで、その全部又は一部を取り下げることができるから（297本文・261Ⅰ）、第1審原告は、自ら控訴した後でも、訴えを取り下げることができる。

× **011**

控訴の取下げについては、被控訴人の同意を要しない（292Ⅱにおける261Ⅱの不準用）。なぜなら、控訴の取下げの効果が控訴審手続の終了であり、被控訴人に不利益を及ぼす可能性がないからである。

× **012**

控訴が不適法でその不備を補正することができないときは、控訴裁判所は、口頭弁論を経ないで、判決で、控訴を却下することができる（290）。

○ **013**

控訴審においては、反訴の提起は、相手方の同意がある場合に限り、することができる（300Ⅰ）。

○ **014**

被控訴人は、控訴権が消滅した後であっても、控訴審の口頭弁論の終結に至るまで、附帯控訴をすることができる（293Ⅰ）。

上訴

❷ 控訴

3 再審

015 □□□ 平30-5-ア

不服の申立てに係る判決が前に確定した判決と抵触することを再審事由とする場合には、再審期間の制限がある。

016 □□□ 平30-5-ウ

裁判所は、決定で再審の請求を棄却する場合には、相手方を審尋しなければならない。

017 □□□ 平30-5-エ

確定した訴状却下命令に対しては、再審の申立てをすることができる。

018 □□□ 平30-5-オ

裁判所は、再審開始の決定が確定した場合において、判決を正当とするときは、再審の請求を却下しなければならない。

× **015**

再審の訴えは、当事者が判決の確定した後再審の事由を知った日から30日の不変期間内に提起しなければならず、判決が確定した日から５年を経過したときは、再審の訴えを提起することができない（342Ⅰ・Ⅱ）。もっとも、これらの規定は、不服の申立てに係る判決が前に確定した判決と抵触することを再審事由とする場合には、適用されない（342Ⅲ・338Ⅰ⑩）。

× **016**

裁判所は、再審開始の決定をする場合には、相手方を審尋しなければならない（346Ⅱ）。これに対して、再審の請求を棄却する決定をする場合は、相手方には不利益が生じないことから、審尋の必要はない（345Ⅱ参照）。

○ **017**

訴状却下命令に対しては、原告は１週間以内に即時抗告をすることができる（137Ⅲ・332）。そして、即時抗告をもって不服を申し立てることができる決定又は命令で、確定したものに対しては、再審の申立てをすることができる（349）。

× **018**

裁判所は、再審開始の決定が確定した場合において、判決を正当とするときは、再審の請求を棄却しなければならない（348Ⅰ・Ⅱ）。

民事訴訟法

第8編

略式訴訟手続

1 少額訴訟

001 □□□ 平13-5-イ

少額訴訟による審理及び裁判を求める旨の申述は、最初にすべき口頭弁論の期日までにしなければならない。

002 □□□ 平17-2-ア（平19-5-ア、平21-5-エ）改題

少額訴訟において、反訴の提起をすることができる。

003 □□□ 平17-2-ア改題

少額訴訟において、訴えの変更をすることができる。

004 □□□ 平21-5-オ

裁判所が、期日を続行して少額訴訟による審理及び裁判を行うためには、当事者の同意を得ることが必要である。

005 □□□ 平14-5-5（平19-5-イ）

少額訴訟において、証拠調べの申出があった場合には在廷している証人の尋問をすることができる。

× 001

少額訴訟による審理及び裁判を求める旨の申述は、訴えの提起の際にしなければならず（368Ⅱ）、その後は、最初にすべき口頭弁論の期日までの間であっても、その旨の申述をすることはできない。

× 002

少額訴訟において、反訴の提起をすることはできない（369）。反訴が提起されると、事件が複雑化し、１回の口頭弁論期日で審理を完了する要請（370Ⅰ）に応えられなくなるおそれがあるからである。

○ 003

少額訴訟において、訴えの変更をすることは禁止されておらず、訴えの変更をすることができる。

× 004

少額訴訟においては、原則として、最初にすべき口頭弁論の期日において、審理を完了しなければならないが、「特別の事情がある場合」には、期日続行も認められる（370Ⅰ）。この場合でも、審理及び裁判を行うために、当事者の同意を要する旨の規定はない。

○ 005

少額訴訟においては、証拠調べは、即時に取り調べることができる証拠に限定されている。そして、在廷している証人の尋問はこれに該当する（371）。

006 □□□ 令6-5-ウ

少額訴訟の場合、証人の尋問は、宣誓をさせないですることができる。

007 □□□ 平21-5-イ

少額訴訟の終局判決に対して適法な異議の申立てがされた後の審理において証人尋問を行うときには、裁判官が相当と認める順序で証人の尋問をすることができる。

008 □□□ 平21-5-ウ

原告が同一の簡易裁判所において同一の年に少額訴訟による審理及び判決を求めることができる回数の制限を超えてこれを求めた場合には、裁判所は、職権で、訴訟を通常の手続により審理及び裁判する旨の決定をする。

009 □□□ 平21-5-ア

原告が訴え提起の際に少額訴訟による審理及び裁判を求める旨の申述をした場合において、被告の住所等の送達をすべき場所が知れないため、公示送達によらなければ被告に対する最初にすべき口頭弁論の期日の呼出をすることができないときは、裁判所は、訴訟を通常の手続により審理及び裁判をする旨の決定をしなければならない。

010 □□□ 平16-1-オ（平19-5-オ）

少額訴訟を通常の手続に移行させる旨の申述には、相手方の同意を要する。

○ **006**

少額訴訟における証人の尋問は、宣誓をさせないですることができる（372Ⅰ）。

○ **007**

少額訴訟においては、証人又は当事者本人の尋問は、裁判官が相当と認める順序でする（372Ⅱ）。これは、適法な異議によって通常の手続による審理に移行した場合の証人尋問手続にも準用される（379Ⅱ）。

○ **008**

少額訴訟は、同一の簡易裁判所において同一の年に最高裁判所規則で定める回数を超えてこれを求めることができない（368Ⅰ但書）。そして、368条1項の規定に違反して少額訴訟による審理及び裁判を求めたときには、裁判所は、訴訟を通常の手続により審理及び裁判をする旨の決定をしなければならない（373Ⅲ①）。

○ **009**

少額訴訟において、公示送達によらなければ被告に対する最初にすべき口頭弁論の期日の呼出しをすることができないときは、裁判所は、訴訟を通常の手続により審理及び裁判をする旨の決定をしなければならない（373Ⅲ③）。

× **010**

少額訴訟においては、被告は、訴訟を通常の手続に移行させる旨の申述をすることができ（373Ⅰ本文）、本条において、相手方の同意を要する旨の規定はない。

011 □□□ 令6-5-イ

少額訴訟の場合、被告は、最初にすべき口頭弁論の期日において弁論をした後であっても、口頭弁論の終結に至るまで、訴訟を通常の手続に移行させる旨の申述をすることができる。

012 □□□ 平13-5-エ（平24-5-ウ）

少額訴訟においては、判決書の原本に基づかないで判決の言渡しをすることができる。

013 □□□ 平19-5-エ

少額訴訟における請求を認容する判決をする場合において、裁判所は、被告の資力その他の事情を考慮して特に必要があると認めるときは、分割払の定めをすることができる。

014 □□□ 平19-5-ウ

少額訴訟において、請求を認容するときは、仮執行をすることができることを宣言しなければならない。

015 □□□ 令6-5-オ（平13-5-オ）

少額訴訟の終局判決に対しては、控訴をすることができる。

016 □□□ 平16-1-エ

少額訴訟の終局判決に対する異議の取下げには、相手方の同意を要する。

× **011**

被告が最初にすべき口頭弁論の期日において弁論をし、又はその期日が終了した後は、訴訟を通常の手続に移行させる旨の申述をすることができない（373Ⅰ但書）。

○ **012**

少額訴訟において口頭弁論の終結後直ちに判決を言い渡す場合（374Ⅰ）には、判決の言渡しは、判決書の原本に基づかないですることができる（同Ⅱ）。

○ **013**

少額訴訟において、裁判所は、請求を認容する判決については、被告の資力その他の事情を考慮して特に必要があると認めるときは、判決の言渡しの日から３年を超えない範囲内において、認容する請求に係る金銭の支払について、分割払の定めをすることができる（375Ⅰ）。

○ **014**

少額訴訟において、請求を認容する判決については、裁判所は、職権で、担保を立てて、又は立てないで仮執行をすることができることを宣言しなければならない（376）。

× **015**

少額訴訟の終局判決に対しては、控訴をすることができない（377）。

○ **016**

少額訴訟の終局判決に対する異議の取下げにおいては、相手方の同意を要する（378Ⅱ・360Ⅱ）。相手方にとっても通常訴訟手続を利用できる期待可能性があるからである。

❷ 手形訴訟

017 □□□ 平4-5-4（平19-5-ウ）

手形による金銭の支払請求を認容する手形判決については、職権で仮執行宣言を付さなければならない。

018 □□□ 平4-5-1（平19-5-ア）

手形訴訟においても、反訴を提起することができる。

019 □□□ 平6-5-3（平14-5-4）

手形訴訟において、文書の真否又は手形の提示に関する事実については、申立てにより、証人を尋問することができる。

020 □□□ 平10-5-1（平19-5-イ）

手形訴訟において、当事者が手形振出しの原因関係に関する事実についての証人尋問につき証拠調べの申立てをした場合、証拠調べを行うことができる。

021 □□□ 平10-5-2

手形訴訟において、当事者が手形振出しの原因関係に関する文書についての文書提出命令につき証拠調べの申立てをした場合、証拠調べを行うことができる。

○ **017**

手形訴訟は、手形債権の迅速な回収の実現を図ろうとする制度である。そのため、手形による金銭の支払の請求及びこれに附帯する法定利率による損害賠償の請求に関する判決については、裁判所は、職権で、仮執行をすることができることを宣言しなければならない（259Ⅱ）。

× **018**

反訴（146）は簡易迅速を旨とする手形訴訟の趣旨にそぐわないため、手形訴訟においては、反訴を提起することができない（351）。

× **019**

手形訴訟においては、文書の成立の真否又は手形の提示に関する事実については、申立てにより、「当事者本人」を尋問することができる（352Ⅲ）のであって、証人尋問は認められていない（352Ⅰ・Ⅲ参照）。

× **020**

手形訴訟においては、証人尋問は認められていない（352Ⅰ・Ⅲ参照）。

× **021**

手形訴訟においては、当事者から文書提出命令の申立てがあっても、裁判所はこれを採用することができない（352Ⅱ前段）。

022 □□□ 平10-5-4

手形訴訟において、当事者が手形の提示に関する事実についての当事者本人尋問につき証拠調べの申立てをした場合、証拠調べを行うことができる。

023 □□□ 平6-5-1（平19-5-オ）

手形訴訟において、原告が訴訟を通常の手続に移行させる申述をするには、被告の承諾を得なければならない。

024 □□□ 平6-5-5（平元-6-3）

請求が手形訴訟による審理及び裁判をすることができないものであることを理由として、訴えを却下した判決に対しては、控訴することができる。

025 □□□ 平4-5-5

原告の請求を棄却した手形訴訟の終局判決に対しては、控訴をすることができる。

○ **022**

手形訴訟においても、文書の成立の真否又は手形の提示に関する事実については、申立てにより、当事者本人を尋問することができる（352Ⅲ）。

× **023**

手形訴訟の原告が、訴訟を通常の手続に移行させる旨の申述をするには、被告の承諾を要しない(353Ⅰ)。通常訴訟への移行によって手形訴訟としての制約がなくなり、防御方法に関する制限が取り払われる点でかえって被告に有利になるからである。

× **024**

請求が手形訴訟による審理及び裁判をすることができないものであることを理由として、訴えを却下した判決（355Ⅰ）に対しては、控訴をすることができない（356但書）。

× **025**

手形訴訟の本案判決に対しては、控訴をすることができず(356)、「異議」の申立てのみが認められる（357本文）。

③ 督促手続

026 □□□ 平3-4-ウ（平16-5-オ）

支払督促は、我が国において公示送達によらずに債務者に対する支払督促の送達をすることができる場合でなければ、発することができない。

027 □□□ 平29-5-イ

支払督促の申立てにおいては、当事者、法定代理人並びに請求の趣旨及び原因を明らかにしなければならない。

028 □□□ 平20-5-イ

支払督促の申立ての趣旨から請求に理由がないことが明らかな場合には、裁判所書記官は、債権者を審尋した上で、その申立てを却下しなければならない。

029 □□□ 平29-5-ウ

支払督促の申立てを却下する処分は、相当と認める方法で告知することによって、その効力を生ずる。

030 □□□ 平16-5-ア

支払督促の申立てを却下した処分に対する異議申立てを却下した裁判に対しては、即時抗告をすることができる。

○ **026**

支払督促は、「日本において公示送達によらないでこれを送達することができる場合」でなければ、発することができない（382但書）。

○ **027**

支払督促の申立てにおいては、請求を特定するために、請求の趣旨及び原因、当事者及び法定代理人を記載して明らかにしなければならない（384・133Ⅱ）。

× **028**

支払督促の申立てが、その一般的要件に違反するとき、または請求に理由がないことが明らかなときは、申立てを却下しなければならない（385Ⅰ）が、その際、債権者を審尋する必要はない。

○ **029**

支払督促の申立てが、申立ての趣旨から請求に理由がないことが明らかな場合等に該当するときは、その支払督促の申立てを却下しなければならない（385Ⅰ）。そして、当該却下処分は、相当と認める方法で告知することによって、その効力を生ずる（385Ⅱ）。

× **030**

支払督促の申立てを却下した処分に対する異議申立てを却下した裁判に対しては、不服申立てができない（385Ⅳ）ため、即時抗告をすることはできない。

031 □□□　平7-5-3（平元-5-4、平12-5-ウ、平16-5-ウ）

支払督促の申立ての審理において必要があると認めるときは、債務者を審尋することができる。

032 □□□　平5-6-エ（平3-4-エ）

支払督促は、債権者に送達することを要しない。

033 □□□　平16-5-イ（平5-6-ウ、令5-5-エ）

債権者が仮執行の宣言の申立てをすることができる時から30日以内に仮執行の宣言の申立てをしなかったときは、支払督促は、効力を失う。

034 □□□　平29-5-エ

債務者が支払督促の送達を受けた日から２週間以内に督促異議の申立てをしない場合には、裁判所書記官は、債権者の申立てがないときであっても、仮執行の宣言をしなければならない。

× **031**

支払督促は、債務者を審尋しないで発する（386Ⅰ）。申立ての審理に当たって口頭弁論を開いたり債務者を審尋することは、簡易迅速を旨とする督促手続の趣旨にそぐわず、また、債務者の利益は専ら支払督促に対する督促異議の申立て（386Ⅱ・393）の機会が実質的に保障されていること（382但書参照）で担保されているからである。

○ **032**

支払督促の送達は債務者にのみ行い(388Ⅰ)、債権者に対しては、支払督促が発付された旨の通知をすれば足りる（民訴規234Ⅱ）。

○ **033**

支払督促は、債権者に簡易迅速に債務名義を取得させることを目的とするものであり、30日以内に仮執行の宣言の申立てをしない債権者には、債務名義の取得という便宜を与える必要がないため、債権者が仮執行の宣言の申立てをすることができる時から30日以内にその申立てをしないときは、支払督促は、その効力を失う（392）。

× **034**

債務者が支払督促の送達を受けた日から２週間以内に督促異議の申立てをしないときは、裁判所書記官は、債権者の申立てにより、支払督促に手続の費用額を付記して仮執行の宣言をしなければならない（391Ⅰ）。

035 □□□ 平20-5-オ（平29-5-オ）

適法な督促異議の申立てがあったときは、督促異議に係る請求については、督促異議の申立ての時に、訴えの提起があったものとみなされる。

036 □□□ 令5-5-オ

適法な督促異議の申立てがあったときは、督促異議に係る請求については、その目的の価額にかかわらず、支払督促を発した裁判所書記官の所属する簡易裁判所に訴えの提起があったものとみなされる。

037 □□□ 平16-5-エ

仮執行の宣言を付した支払督促に対し督促異議の申立てがされないときは、支払督促は、既判力を有する。

× **035**

督促異議は、債務者が本来の通常訴訟の開始を求めるものであり、債務者による適法な督促異議の申立てがあったときは、支払督促の申立ての時に、督促異議に係る請求について、その目的の価額に従い、支払督促を発した裁判所書記官の所属する簡易裁判所又はその所在地を管轄する地方裁判所に訴えの提起があったものとみなされる（395前段）。

× **036**

適法な督促異議の申立てがあった場合には、督促異議に係る請求については、その目的の価額に従い、支払督促の申立ての時に、支払督促を発した裁判所書記官の所属する簡易裁判所又はその所在地を管轄する地方裁判所に訴えの提起があったものとみなされる（395前段）。

× **037**

仮執行の宣言を付した支払督促に対し督促異議の申立てがないとき、又は督促異議の申立てを却下する決定が確定したときは、支払督促は、確定判決と同一の効力を有する（396）が、その効力とは、執行力を指し、既判力は含まれない。

民事執行法

第1編

強制執行

1 強制執行の開始

債務名義

001 □□□ 平27-7-2

仮執行の宣言を付した支払督促は債務名義とならない。

002 □□□ 平27-7-1

訴訟費用の負担の額を定める裁判所書記官の処分は債務名義になる。

003 □□□ 平27-7-4

特定不動産の給付を目的とする請求についての公正証書で、債務者が直ちに強制執行に服する旨の陳述が記載されているものは債務名義とならない。

004 □□□ 平27-7-5

民事調停事件において当事者間に成立した合意に係る調書の記載は債務名義になる。

× **001**

支払督促の申立てが認められると、支払督促は債務者に送達され（民訴388Ⅰ）、債務者が支払督促の送達を受けた日から2週間以内に督促異議の申立てをしないときは、裁判所書記官は、債権者の申立てにより、支払督促に手続の費用額を付記して仮執行の宣言をしなければならない（民訴391Ⅰ本文）。これにより支払督促は債務名義となる（22④）。

○ **002**

訴訟費用の負担の額は、その負担の裁判が執行力を生じた後に、申立てにより、第一審裁判所の裁判所書記官が定める（民訴71Ⅰ）。そして、この訴訟費用の負担額を定める裁判所書記官の処分は債務名義となる（22④の2）。

○ **003**

執行証書の場合、給付の種類が、「金銭の一定の額の支払又はその他の代替物若しくは有価証券の一定の数量の給付」に限定されている（22⑤）。したがって、特定不動産の給付を目的とする請求についての公正証書は、執行証書たり得ず、債務名義とならない。

○ **004**

確定判決と同一の効力を有するものは、強制執行における債務名義となる（22⑦）。この点、民事調停事件において当事者間に合意が成立し、これを調書に記載したときは、調停が成立したものとし、その記載は裁判上の和解と同一の効力を有する（民調16）。したがって、裁判上の和解調書は確定判決と同一の効力を有するから（民訴267）、民事調停事件において当事者間に成立した合意に係る調書の記載は、強制執行における債務名義となる。

005 □□□ 平17-7-ウ

差押えは、債務名義が債権者に送達された日から一定の期間内にこれに着手すべきものとはされていない。

執行文

006 □□□ 平元-8-4（平20-5-エ）

仮執行の宣言を付した支払督促により、これに表示された当事者に対し、又はその者のために強制執行をするには、執行文の付与を受けることを要しない。

007 □□□ 平16-7-イ

少額訴訟における確定判決に表示された当事者に対し、その正本に基づいて強制執行の申立てをする場合には、執行文の付与を受ける必要がない。

008 □□□ 平元-8-2（平30-7-ア）

執行証書についての執行文は、その原本を保存する公証人が付与する。

○ **005**

仮差押えは、債権者に対して保全命令が送達された日から2週間を経過したときは、これをしてはならない（民保43Ⅱ）とされているが、差押えについては、そのような規定はない。

○ **006**

仮執行の宣言を付した支払督促（22④）が債務名義である場合、その債務名義に表示された当事者に対し、又はその者のためにする強制執行は、その正本に基づいて実施するため、執行文の付与は不要である（25但書）。

○ **007**

強制執行は、執行文の付された債務名義の正本に基づいて実施するのが原則である（25本文）が、少額訴訟における確定判決に表示された当事者に対し、その正本に基づいて強制執行の申立てをする場合には、執行文の付与を受ける必要がない（25但書）。

○ **008**

執行証書の効力が現存しているか否かの判断は、執行証書の原本を保存する公証人にしてもらうことが最も正確かつ便宜なので、執行証書については、申立てにより、その原本を保存する公証人が執行文を付与する（26Ⅰ）。

009 □□□ 平16-7-ア

強制競売の申立てをする債権者は、強制競売の執行裁判所の裁判所書記官に対し、執行文の付与の申立てをしなければならない。

010 □□□ 平元-8-5（平30-7-ウ）

請求が債権者の証明すべき事実の到来にかかる場合には、執行文は、債権者がその事実の到来したことを証する文書を提出したときに限り、付与することができる。

011 □□□ 平30-7-イ

請求が確定期限の到来に係る場合においては、執行文は、その期限の到来後に限り、付与することができる。

012 □□□ 平17-7-イ改題

差押えは、承継執行文の付与を受ければ、債務名義に表示された当事者の承継人の財産に対してもすることができる。

× 009

執行文は、申立てにより、執行証書以外の債務名義については事件の記録の存する裁判所の裁判所書記官が、執行証書についてはその原本を保存する公証人が付与する（26Ⅰ）。したがって、強制競売の申立てをする債権者は、強制競売の執行裁判所の裁判所書記官に対し、執行文の付与の申立てをすることはできない。

○ 010

請求が債権者の証明すべき事実の到来に係る場合においては、条件が成就したかどうか（債権者が証明すべき事実が到来したかどうか）は債務名義自体からは明らかでないので、執行文は、債権者がその事実の到来したことを証する文書を提出したときに限り、付与することができる（27Ⅰ・条件成就執行文）。

× 011

執行文の付与は、その調査が容易であることから、執行文付与の段階では確定期限の到来については調査されない（30・31Ⅱ参照）。したがって、請求の確定期限の到来は、執行開始の要件であって、執行文付与の要件ではない。

○ 012

債務名義に表示された当事者以外の者を債権者又は債務者とする場合、その者に債務名義の執行力が及ぶことが証明されたときに限り執行文が付与される（27Ⅱ）。すなわち、執行文の付与を受ければ、債務名義に表示された当事者の承継人の財産についても強制執行が可能となる。

013 □□□ 平元-8-3（平16-7-ウ、平30-7-エ）

執行文は、債権の完全な弁済を得るため執行文の付された債務名義の正本が数通必要なときは、更に付与することができる。

014 □□□ 平16-7-オ

裁判所書記官がした執行文の付与を拒絶する処分に対しては、その裁判所書記官の所属する裁判所に異議の申立てをすることができる。

015 □□□ 平26-7-ア（平30-7-オ）

債務者は、執行文付与に対する異議の訴えを提起することができない。

016 □□□ 平17-6-ア

条件成就執行文の付与について、その条件成就に異議のある債務者は、執行文付与に対する異議の申立てをすることなく、直ちに執行文付与に対する異議の訴えを提起することができる。

○ **013**

債権者が必ずしも一度の執行で完全な弁済が得られるとは限らないため、執行文は、債権の完全な弁済を得るため執行文の付された債務名義の正本が数通必要であるとき、又はこれが滅失したときに限り、更に付与することができる(28Ⅰ・執行文の再度付与)。

○ **014**

執行文付与の申立てに関する処分に対しては、裁判所書記官の処分にあってはその裁判所書記官の所属する裁判所に、公証人の処分にあってはその公証人の役場の所在地を管轄する地方裁判所に異議を申し立てることができる（32Ⅰ）。

× **015**

執行文付与に対する異議の訴えとは、債務者が執行文付与の際に証明された条件の成就や承継その他の執行力拡張事由の存在を争って、その執行文の付された債務名義の正本に基づく強制執行の不許を求めるために、債権者を被告として提起する訴えであり(34)、債権者の執行文付与の訴えに対応して債務者の救済のために認められる。

○ **016**

条件成就執行文が付与されたことに対して異議のある債務者は、32条の規定による執行文付与に関する異議の申立てのほか、直ちに執行文付与に対する異議の訴えを提起することもできる（34Ⅰ）。

執行開始の要件

017 □□□ 平17-7-ア

差押えは、債務名義が債務者に送達された以後でなければすることができない。

018 □□□ 平元-8-1（平16-7-エ）

債務者の給付が反対給付と引換えにすべきものである場合には、執行文は、債権者が反対給付のあったことを証明したときに限り、付与することができる。

○ **017**

強制執行は、債務名義又は確定により債務名義となるべき裁判の正本又は謄本が、あらかじめ、又は同時に、債務者に送達されたときに限り、開始することができる（29前段）。

× **018**

「債務者の給付が反対給付と引換えにすべきものである場合」においては、反対給付の証明は執行開始の要件であって（31Ⅰ）、執行文付与の要件ではないから、それ以前でも執行文の付与を受けることは可能である。

❷ 不動産執行（不動産の強制競売）

019 □□□　平7-6-1（平3-6-1、令3-7-イ）

金銭債権についての不動産に対する強制執行の方法には、強制競売と強制管理とがあり、これらの方法は併用することができる。

020 □□□　平2-1-1（令3-7-ア）

債務者の普通裁判籍の住所地を管轄する地方裁判所は、不動産に関する執行裁判所となり得る。

021 □□□　平19-7-ア

第一審裁判所が地方裁判所である訴訟の確定判決によって行われる不動産の強制競売については、当該第一審裁判所が、執行裁判所として管轄する。

差押え

022 □□□　平5-7-3（平3-6-5）

不動産の強制競売において、差押えがなされても、債務者が通常の用法に従って不動産を使用し、又は収益することを妨げない。

023 □□□　平19-7-エ（令5-7-ウ）

強制競売の開始決定が債務者に送達される前に、差押えの登記がされたときは、差押えの効力は、当該登記がされた時に生ずる。

○ **019**

不動産の強制執行の方法には強制競売と強制管理の2つがあり（43Ⅰ前段）、強制競売手続が長引いたとしても、強制管理を併用することによって、その間の不動産の使用収益による満足を得ることができ、ここに両者を併用する実益がある。したがって、債権者の選択によりその併用も認められている（同Ⅰ後段）。

× **020**

不動産執行については、その所在地（43条2項により不動産とみなされるものにあっては、その登記をすべき地）を管轄する地方裁判所が、執行裁判所として管轄する（44Ⅰ）。

× **021**

不動産執行については、その所在地（43条2項により不動産とみなされるものにあっては、その登記すべき地）を管轄する地方裁判所が、執行裁判所として管轄する（44Ⅰ）。

○ **022**

差押えは、債務者が通常の用法に従って不動産を使用し、又は収益することを妨げない（46Ⅱ）。その交換価値の維持に反しないからである。

○ **023**

差押えの効力は、強制競売の開始決定が債務者に送達された時に生ずるのが原則であるが、差押えの登記がその開始決定の送達前にされたときは、登記がされた時に生ずる（46Ⅰ）。

024 □□□ 令5-7-オ

不動産の強制競売の開始決定に係る差押えの登記の嘱託は、裁判所書記官が職権により行う。

債権者の競合

025 □□□ 平21-7-ア

強制競売の開始決定がされた不動産について強制競売の申立てがあったときは、執行裁判所は、更に強制競売の開始決定をするものとされているが、先の開始決定に係る強制競売の手続が取り消されたときは、執行裁判所は、後の開始決定に係る強制競売の手続も取り消さなければならない。

売却条件と物件明細書

026 □□□ 平25-7-ア

不動産の上に存する留置権は、担保不動産競売における売却手続による売却により消滅する。

○ **024**

強制競売の開始決定がされたときは、裁判所書記官は、直ちに、その開始決定に係る差押えの登記を嘱託しなければならない（民執48Ⅰ）。

× **025**

強制競売の開始決定がされた不動産について強制競売の申立てがあったときは、執行裁判所は、更に強制競売の開始決定をする(47Ⅰ・二重開始決定)。そして、先の開始決定に係る強制競売の手続が取り消されたときは、執行裁判所は、後の強制競売の開始決定に基づいて手続を続行しなければならない（47Ⅱ）。

× **026**

担保不動産の上に存する留置権は、買受人が引き受ける（188・59Ⅳ）ため、消滅しない。

不動産の売却

027 □□□ 平7-6-4

金銭債権についての不動産に対する強制執行において、売却許可決定がされた後には、強制競売の申立てを取り下げることはできない。

028 □□□ 平21-7-イ

売却許可決定については、執行抗告をすることができないが、強制競売の開始決定については、執行抗告をすることができる。

029 □□□ 昭62-6-1

不動産の強制競売において、抵当権は売却により消滅しない。

030 □□□ 平9-6-1

不動産の強制競売において、買受人は、不動産の上に存する留置権を引き受ける。

031 □□□ 平5-7-5

債務者は、不動産の強制競売における不動産の売却の手続において、買受けの申出をすることができない。

× 027

売却許可決定後（74Ⅴ）といえども、買受人が代金を納付するまでは（78Ⅰ）、「最高価買受申出人又は買受人及び次順位買受申出人の同意」を得れば、強制競売の申立てを取り下げることができる（76Ⅰ本文）。なお、他に差押債権者がある場合において、取下げにより売却の条件に変更がないときは、同意を要しない（76Ⅰ但書）。

× 028

売却許可決定については、執行抗告をすることができる（74Ⅰ）が、強制競売の開始決定については、執行抗告をすることができない。

× 029

「不動産の上に存する抵当権」は、売却により消滅する（59Ⅰ）。

○ 030

「不動産の上に存する留置権」については、その成立時期を問わず、買受人が引き受ける（59Ⅳ・引受主義）。

○ 031

債務者は、買受けの申出をすることができない（68）。

032 □□□ 平9-6-4

不動産の強制競売において、買受人は、売却許可決定が確定した時に不動産を取得する。

033 □□□ 平21-7-オ

執行裁判所は、買受人に対抗することができない権原により強制競売に係る不動産を占有する者に対しては、その者が債務者との関係で正当な占有権原を有する場合であっても、当該不動産を買受人に引き渡すべき旨を命ずることができる。

034 □□□ 平9-6-5

不動産の強制競売において、売却許可決定の確定後、買受人が執行裁判所の定める期限までに代金を執行裁判所に納付しないときは、執行裁判所は、買受人に対し、代金の支払を命ずることができる。

配当等の手続

035 □□□ 平21-7-ウ

強制競売の開始決定がされた不動産について、差押えの登記後に抵当権の設定の登記をすることも可能であるが、その抵当権を有する債権者は、当該競売手続において配当を受けることができない。

× **032**

配当等の原資になる代金の納付を確実に行わせるため、買受人は、売却許可決定時ではなく、代金を納付した時に不動産を取得する(79)。

○ **033**

執行裁判所は、代金を納付した買受人の申立てにより、不動産の占有者に対し、不動産を買受人に引き渡すべき旨を命ずることができる（83Ⅰ本文・引渡命令）。なお、事件の記録上買受人に対抗することができる権原により不動産を占有していると認められる者は除かれる（83Ⅰ但書）。

× **034**

買受人が期限までに代金を納付しないときは、売却許可決定が効力を失うのであり（80Ⅰ前段）、執行裁判所は、買受人に対し、代金の支払を命ずることができない。

○ **035**

強制競売の開始決定がされた不動産について差押えの登記がされると、債務者は、差押えの効力として不動産の処分を制限される(46)。この場合、債務者は当該不動産に関する処分をし、これを登記することはできるが、その差押えによる手続が存続する限り、執行手続上は無効となる（手続相対効）。したがって、差押えの登記後に抵当権を設定し登記することも可能であるが、抵当権者は配当を受けることができない（87Ⅰ④・Ⅱ・Ⅲ）。

民事執行法

第2編

救済手段

1 民事執行法上の不服申立手段

違法執行に対する救済手段

001 □□□ 平4-7-4

執行裁判所の執行処分で、執行抗告することができないものに対しては、執行裁判所に執行異議を申し立てることができる。

002 □□□ 平2-8-イ

執行抗告と即時抗告のいずれにおいても、抗告の提訴期間は、原裁判の告知を受けた日から1週間である。

003 □□□ 平22-7-イ

執行抗告及び執行異議は、執行処分を受けた日から1週間の不変期間内にしなければならない。

004 □□□ 平2-8-ウ（平4-7-3）

執行抗告と即時抗告のいずれにおいても、抗告状は、原裁判所又は抗告裁判所のいずれに提出してもよい。

005 □□□ 平5-7-1

不動産の強制競売の開始決定に対しては、執行抗告をすることができる。

○ **001**

民事執行の手続に関する裁判に対しては、特別の定めがある場合に限り、執行抗告をすることができ（10Ⅰ）、執行裁判所の執行処分で執行抗告をすることができないものについては執行裁判所に執行異議を申し立てることができる（11Ⅰ前段）。

○ **002**

執行抗告については10条2項により、即時抗告については民事訴訟法332条により、それぞれ裁判の告知を受けた日から1週間以内に提起しなければならない。

× **003**

執行抗告は、裁判の告知を受けた日から1週間の不変期間内に、抗告状を原裁判所に提出してしなければならない（10Ⅱ）。これに対して、執行異議の申立てについては、特に期間の制限はない（11参照）。

× **004**

執行抗告も、即時抗告も、「原裁判所」に抗告状を提出しなければならない（10Ⅱ、民訴331本文・286Ⅰ）。

× **005**

強制競売の開始決定に対する不服申立てについては明文規定がなく、執行異議（11）が認められるにすぎない（45Ⅲ参照）。

006 □□□ 平19-7-イ

強制競売の申立てを却下する裁判に対しては、執行異議を申し立てることができる。

007 □□□ 平3-7-3

債権執行における、差押命令の申立てについての裁判に対しては、執行抗告をすることができる。

008 □□□ 平2-8-エ

執行抗告と即時抗告のいずれにおいても、抗告は、原裁判の執行を停止する効力を有する。

009 □□□ 平22-7-エ

執行抗告及び執行異議の裁判は、口頭弁論を経ないですることができる。

010 □□□ 平22-7-オ

執行抗告又は執行異議の審理においては、当事者又は当事者の申し出た参考人を審尋することができる。

× **006**

強制競売の申立てを却下する裁判に対しては、執行抗告をすることができるため（45Ⅲ）、執行異議を申し立てることはできない。

○ **007**

債権執行の場合、差押命令の申立てについての裁判に対しては、執行抗告をすることができる（145Ⅵ）。

× **008**

即時抗告が執行停止の効力を有する（民訴334Ⅰ）のに対して、執行抗告が提起されても当然には執行停止の効力は生ぜず、抗告裁判所又は原裁判所の執行停止命令がされて初めて停止する（10Ⅵ）。

○ **009**

執行抗告については、特別の規定がなく、かつ執行抗告の性質に反しない限り、民事訴訟法の抗告に関する規定が準用される（20）。したがって、抗告裁判所は抗告につき口頭弁論によらないで審理することができる。また、執行異議の申立てに対しては、執行裁判所は口頭弁論を経ないで、決定で裁判することができる（11Ⅱ）。

○ **010**

執行抗告又は執行異議の審理において、執行裁判所は口頭弁論を経ないですることができるが、口頭弁論をしない場合には、当事者又は当事者の申し出た参考人を審尋することができる（20、民訴335・87Ⅱ・187）。

不当執行に対する救済手段

011 □□□ 平26-7-オ

執行文付与に関する異議の訴え、請求異議の訴え、第三者異議の訴え及び配当異議の訴えが適法に提起されたときは、当事者は、裁判所において口頭弁論をしなければならない。

012 □□□ 平14-6-イ（平17-6-イ、令3-7-オ）

仮執行の宣言を付した判決を債務名義として不動産に対し強制執行がされた場合、債務者は、当該判決の確定前に請求異議の訴えを提起することができる。

013 □□□ 平14-6-エ

売買代金の支払請求を認容した確定判決を債務名義として不動産に対し強制執行がされた場合、債務者は、当該売買契約を債権者の詐欺によるものとして取り消したことを理由として請求異議の訴えを提起することができる。

014 □□□ 平14-6-ア

公正証書を債務名義として不動産に対し強制執行がされた場合、債務者は、当該公正証書の作成後に当該公正証書に係る債務を任意に弁済したことを理由として請求異議の訴えを提起することができる。

○ **011**

執行文付与に関する異議の訴え、請求異議の訴え、第三者異議の訴え及び配当異議の訴えの各種異議の訴えは判決をもって裁判しなければならないため、口頭弁論を経なければならない。

× **012**

仮執行の宣言を付した判決を債務名義として不動産に対し強制執行がされた場合、債務者は、当該判決の確定前に請求異議の訴えを提起することはできない（35 I 前段括弧書）。確定前の仮執行の宣言を付した判決に対しては、上訴により救済を求めることができるからである。

× **013**

確定判決が債務名義の場合、既判力を有するので、詐欺による取消しを理由として請求異議の訴えを提起することはできない（35 II・既判力の遮断効）。

○ **014**

請求異議の訴えは、請求権の存在又は内容についての異議を内容として仮執行宣言付判決及び仮執行宣言付支払督促で確定前のもの等を除き、22条に掲げられたあらゆる債務名義に付いて提起することができる（35 I 前段）。

015 □□□ 平14-6-オ

公正証書を債務名義として不動産に対し強制執行がされた場合、債務者は、当該公正証書が無権代理人の嘱託に基づき作成されたものであることを理由として請求異議の訴えを提起することができる。

016 □□□ 平26-7-イ

債務者は、請求異議の訴えを提起することができない。

017 □□□ 平17-6-ウ

請求異議の訴えは、債務名義の正本に執行文が付与される前であっても提起することができる。

018 □□□ 平17-6-エ

債権者は、第三者異議の訴えにおいて敗訴しても、同一の債務名義に基づいて、債務者の責任財産に属する他の財産に対し、強制執行をすることができる。

○ **015**

公正証書を債務名義とする場合、不服申立ての方法がないことから、その成立についての瑕疵も請求異議事由とすることが認められている（35Ⅰ後段）。

× **016**

債務名義（22条2号又は3号の2から4号に掲げる債務名義で確定前のものを除く。以下同じ。）に係る請求権の存在又は内容について異議のある債務者は、その債務名義による強制執行の不許を求めるために、請求異議の訴えを提起することができる（35Ⅰ前段）。これは、裁判以外の債務名義の成立について異議のある債務者も同様である（35Ⅰ後段）。

○ **017**

請求異議の訴え（35Ⅰ）は、債務名義に係る請求権の存在又は内容について異議のある債務者が、債務名義による強制執行の不許を求めるための救済訴訟であるから、債務名義の正本に執行文の付与がされる前であっても請求異議の訴えを提起することができる。

○ **018**

債権者が、第三者異議の訴え（38）において敗訴すると、当該第三者の財産に対して強制執行をすることができなくなるが、第三者異議の訴えは債務名義に基づく強制執行そのものを排除するものではない。したがって、債権者は同一の債務名義に基づいて、債務者の責任財産に属する他の財産に対し強制執行することができる。

019 □□□ 平26-7-ウ

債務者は、第三者異議の訴えを提起することができない。

020 □□□ 平17-6-オ

第三者異議の訴えは、強制執行が終了した後であっても提起することができる。

○ **019**

第三者異議の訴えの原告となりうるのは、目的物につき譲渡又は引渡しを妨げる法的地位をもつと主張する第三者である（38Ⅰ）。債務者は第三者とはいえないため、第三者異議の訴えを提起することはできない。

× **020**

第三者異議の訴えは、執行開始後その終了前に提起する必要がある。執行終了後においては、執行阻止の目的はもはや達することができないからである。

民事執行法

第3編

その他の強制執行

1 動産執行

001 □□□ 平13-7-2（平17-7-エ）

強制執行の目的物が不動産であるか、又は動産であるかにかかわらず、その申立てにおいては、目的物を特定しなければならない。

002 □□□ 平元-7-4（平15-7-ウ）

執行官は、差し押さえた動産を更に差し押さえることができる。

003 □□□ 平13-7-5

目的物が不動産であるか、又は動産であるかにかかわらず、第三者が目的物を占有する場合でも、強制執行をすることができる。

004 □□□ 平元-7-3

動産の差押えは、差押債権者の債権及び執行費用の弁済に必要な限度を超えてすることができない。

× **001**

不動産競売の申立てにおいては、目的物を特定しなければならない（民執規23参照）。これに対して、動産に対する強制執行の申立てにおいては、差押債権者が目的物を特定することは困難なため、差し押さえるべき動産は執行官が選択することとされており（民執規99・100参照）、目的物を特定する必要はない。

× **002**

動産執行は、執行官による目的物の占有取得という方法によって行われるため（122Ⅰ）、執行官は、既に差押え又は仮差押えの執行がされた動産に対して、更に差押えをすることができない（125Ⅰ・二重差押えの禁止）。

○ **003**

不動産競売は、第三者が目的物を占有していても、することができる。動産に対する強制執行も、第三者が目的物を占有する場合でも、その第三者が提出を拒まないときは、することができる（124・123Ⅰ）。

○ **004**

強制執行は債権者の債権の満足を図ることを目的とするため、動産の差押えは、差押債権者の債権及び執行費用の弁済に必要な限度を超えてはならない（128Ⅰ・超過差押えの禁止）。

005 □□□ 平13-7-3

目的物が不動産であるか、又は動産であるかにかかわらず、差押債権者の債権及び執行費用の弁済に必要な限度を超えて差押えをしてはならない。

006 □□□ 平13-7-4

強制執行の目的物が不動産であるか、又は動産であるかにかかわらず、債務者は、差押物を使用することができない。

× **005**

不動産競売においては、差押債権者の債権及び執行費用の弁済に必要な限度を超えて差押えをすることができる。ただし、超過売却となる場合には、執行裁判所は、他の不動産につき売却許可決定を留保しなければならない（73）。これに対して、動産に対する強制執行においては、超過差押えは禁止されており、差押債権者の債権及び執行費用の弁済に必要な限度を超えて差押えをしてはならない（128Ⅰ）。

× **006**

不動産競売においては、債務者は差し押さえられた不動産を使用することができる（46Ⅱ）。一方、動産に対する強制執行においては、債務者が差押物を使用できないのが通常であるが、執行官の許可があるときは、使用することができる（123Ⅳ）。

❷ 債権執行

007 □□□ 平28-7-ア

金銭債権に対する強制執行は、執行裁判所の差押命令により開始する。

008 □□□ 平28-7-イ

金銭債権に対する強制執行で、差押命令は、第三債務者を審尋して発しなければならない。

009 □□□ 平8-6-4（平3-7-1）

金銭債権に対する強制執行において、差押命令を発するときには、第三債務者を審尋することができる。

010 □□□ 平3-7-4（平12-6-イ）

債権執行における差押債権者の債権の額が、差し押さえた債権の価額に満たないときといえども、債権全額を差し押さえることができる。

011 □□□ 平18-7-1

差し押さえるべき債権が金銭債権である場合には、差押債権者の債権額及び執行費用の額を超えて差押えをすることはできない。

012 □□□ 平18-7-2

差押債権者は、差押命令が第三債務者に送達された後であっても、第三債務者の陳述の催告の申立てをすることができる。

○ **007**

金銭の支払を目的とする債権に対する強制執行は、執行裁判所の差押命令により開始する（143）。

× **008**

差押命令は、債務者及び第三債務者を審尋しないで発する（145Ⅱ）。

× **009**

債務者が強制執行を免れるために当該債権を譲渡するなど処分行為に出るおそれがあるため、差押命令は、債務者及び第三債務者を審尋しないで発せられる（145Ⅱ）。

○ **010**

差し押さえようとする債権の価額が差押債権者の債権及び執行費用の額を超えるときでも、執行裁判所は、差し押さえるべき債権の全部について差押命令を発することができる（146Ⅰ）。

× **011**

差し押さえるべき債権が金銭債権である場合には、差押債権者の債権及び執行費用の額を超えて差押えをすることができる（146Ⅰ参照）。

× **012**

差押債権者がする第三債務者の陳述の催告の申立ては、差押命令が第三債務者に送達される前にする必要があり（147Ⅰ参照）、差押命令が第三債務者に送達された後においては、もはや申立てをすることはできない。

013 □□□ 平8-6-2

金銭債権に対する強制執行において、差押命令は、差し押さえられた金銭債権に対しても、更に発することができる。

014 □□□ 平28-7-ウ（平15-7-エ）

金銭債権の一部が差し押さえられた後、その残余の部分を超えて別に差押命令が発せられたときは、各差押えの効力が及ぶ範囲は、当該金銭債権の全額を各差押債権者の請求債権の額に応じて按分した額に相当する部分となる。

015 □□□ 平12-6-ア（平3-7-2、平8-6-3）

金銭債権に対する差押えの効力は、差押命令が第三債務者に送達された時に生ずる。

016 □□□ 平28-7-エ

執行裁判所は、債務者の申立てにより、債務者及び債権者の生活の状況その他の事情を考慮して、差押命令の全部又は一部を取り消すことができる。

017 □□□ 平8-6-5（平18-7-3）

金銭債権を差し押さえた債権者は、差押命令が債務者に送達された日から1か月を経過しなければ、その債権を取り立てることができない。

018 □□□ 平28-7-オ

執行裁判所は、差押債権者の申立てにより、支払に代えて券面額で差し押さえられた金銭債権を差押債権者に転付する命令を発することができる。

○ **013**

債権執行における二重差押えについては、直接それを認めた規定はないが、二重差押えを前提とした規定（144Ⅲ・149等）を置くことにより、間接的にこれを認めている（47Ⅰ・125参照）。

× **014**

債権の一部が差し押さえられ、又は仮差押えの執行を受けた場合において、その残余の部分を超えて差押命令が発せられたときは、各差押え又は仮差押えの執行の効力は、その債権の全部に及ぶ（149前段）。

○ **015**

債権に対する差押えの効力は、差押命令が第三債務者に送達された時に生ずる（145Ⅴ）。

○ **016**

本肢のとおりである（153Ⅰ前段）。なぜなら、債務者及び債権者の具体的な状況によっては、差押えの範囲に変更を加える必要が生じる場合があるからである。

× **017**

差押債権者の取立権は、債務者に対して差押命令が送達された日から一週間を経過した時に発生する（155Ⅰ本文）。

○ **018**

執行裁判所は、差押債権者の申立てにより、支払に代えて券面額で差し押さえられた金銭債権を差押債権者に転付する命令（転付命令）を発することができる（159Ⅰ）。

019 □□□ 平18-7-4

差し押さえた債権に譲渡制限特約が付されているときは、その債権については、転付命令を発することはできない。

020 □□□ 平18-7-5

転付命令の効力が生じた場合において、転付命令に係る債権が存在しなかったときは、差押債権者の債権及び執行費用が弁済されたものとみなされる効力は生じない。

× 019

差し押さえた債権に譲渡制限特約が付されているときであっても、その債権について、転付命令を発することができる（民466Ⅰ・Ⅲ・Ⅱ・466の4Ⅰ）。

○ 020

転付命令が効力を生じた場合においては、差押債権者の債権及び執行費用は、転付命令に係る金銭債権が存する限り、その券面額で、転付命令が第三債務者に送達されたときに弁済されたものとみなす（160）とされているため、転付命令の効力が生じた場合において、転付命令に係る債権が存在しなかったときは、差押債権者の債権及び執行費用が弁済されたものとみなされる効力は生じない。

③ 間接強制

021 □□□ 平20-7-ア

判例の趣旨に照らすと、不動産の引渡しについての強制執行は、間接強制の方法によることができる。

022 □□□ 平20-7-イ（平29-7-ア）

判例の趣旨に照らすと、金銭債権についての強制執行は、間接強制の方法によることができない。

023 □□□ 平29-7-イ

事情の変更があったときは、執行裁判所は、申立てにより、間接強制決定を変更することができる。

024 □□□ 平29-7-オ（令3-7-エ）

不作為を目的とする債務についての強制執行は、代替執行の方法によることができる場合には、間接強制の方法によることはできない。

025 □□□ 平29-7-ウ（平20-7-エ）

執行裁判所は、相当と認めるときは、申立ての相手方を審尋しないで、間接強制決定をすることができる。

○ **021**

不動産の引渡しについての強制執行は、債権者の申立てがあるときは、執行裁判所が間接強制（172Ⅰ）に規定する方法により行うことができる（173Ⅰ・168Ⅰ）。

× **022**

間接強制は作為又は不作為を目的とする債務で代替執行ができないものについての強制執行であるため（172Ⅰ）、金銭債権については間接強制の方法による強制執行をすることはできないのが原則であるが、扶養義務等に係る金銭債権についての強制執行は、債権者の申立てがあるときは、間接強制に規定する方法によることができる（167の15Ⅰ）。

○ **023**

事情の変更があったときは、執行裁判所は、申立てにより、間接強制決定を変更することができる（172Ⅱ）。

× **024**

作為又は不作為を目的とする債務で、代替執行（171Ⅰ）ができないものについての強制執行は、間接強制の方法により行う（172）。もっとも、債権者の申立てがあるときは、執行裁判所が間接強制の方法により行うことができる（173Ⅰ・172Ⅰ）。

× **025**

執行裁判所は、間接強制の方法による決定をする場合、申立ての相手方を審尋しなければならない（172Ⅲ）。

026 □□□ 平20-7-オ

間接強制決定により支払われた金銭は、債務不履行による損害賠償債務の弁済に充当されない。

027 □□□ 平29-7-エ

間接強制決定に対しては、執行抗告をすることができる。

× **026**

間接強制の決定により支払われた金銭は、その限度で債務不履行による損害額に充当される。さらに、損害額が支払額を超える場合は、債権者は債務者に対し、その越える額について損害賠償の請求をすることができる（172Ⅳ）。

○ **027**

民事執行の手続に関する裁判に対しては、特別の定めがある場合に限り、執行抗告をすることができる（10Ⅰ）。この点、間接強制の申立てについての裁判に対しては、執行抗告をすることができる（172Ⅴ）。

028 □□□ 平6-6-2

抵当権の実行としての競売は、債務名義が提出されたときに限り、開始される。

029 □□□ 平22-7-ア

執行抗告又は執行異議の申立てにおいては、原裁判又は執行処分の手続的な瑕疵のみを理由とすることができ、実体的な権利の不存在又は消滅を理由とすることはできない。

030 □□□ 平19-7-ウ

強制競売の開始決定前においては、債務者が当該不動産について価格減少行為をするときであっても、当該行為を禁止し、又は一定の行為を命ずる保全処分をすることはできない。

031 □□□ 平11-6-エ（平6-6-4、平23-7-イ）

担保権の実行としての不動産競売と不動産の強制競売に関し、開始決定に対する執行異議の申立ては、担保権の実行としての不動産競売では担保権の不存在又は消滅を理由としてすることができるが、不動産の強制競売では請求権の不存在又は消滅を理由としてすることはできない。

× **028**

抵当権の実行としての競売は、債務名義が提出されなくても、抵当権の存在を証する一定の法定文書が提出されれば開始される（181Ⅰ・Ⅱ）。

× **029**

執行抗告及び執行異議は、民事執行における執行機関の執行行為が手続法規に違背している違法執行に対する不服申立て手段であるが、担保権の実行手続においては、手続が債務名義を開始要件としないため、執行機関が担保権の存在についても判断することとなっている（182）。

○ **030**

不動産の強制競売の手続においては、強制競売の開始決定後の保全処分に関する規定は存在するが（55・68の2・77参照）、強制競売の開始決定前の保全処分に関する規定は存在しない。

○ **031**

不動産担保権の実行の開始決定に対しては、担保権の不存在又は消滅を理由として執行抗告又は執行異議の申立てをすることができる（182）。これに対して、債務名義制度を採用している不動産の強制競売の場合、請求権の不存在又は消滅を理由として執行異議（11）の申立てをすることはできず、請求異議の訴え（35）によることになる。

032 □□□ 平25-7-ウ

買受人は、売却許可決定後に自己の責めに帰することができない事由により不動産に損傷が生じた場合には、当該損傷が軽微であるときであっても、執行裁判所に対し、代金を納付する時までにその決定の取消しの申立てをすることができる。

033 □□□ 平25-7-エ

申立債権者は、買受人が代金を納付する期限までに代金を納付しなかった場合には、次順位買受申出人がいないときであっても、当該買受人の同意を得なければ、不動産担保権の実行の申立てを取り下げることができない。

034 □□□ 平11-6-イ（平23-7-エ）

担保権の実行としての不動産競売と不動産の強制競売に関し、開始決定前の保全処分の制度は、担保権の実行としての不動産競売にはあるが、不動産の強制競売にはない。

035 □□□ 平6-6-3（平23-7-ア）

抵当権の実行としての競売の開始決定がされた不動産については、他の抵当権に基づく競売の申立てがされた場合であっても、更に競売の開始決定をすることができない。

× **032**

担保不動産の買受人は、買受けの申出をした後、天災その他自己の責めに帰することができない事由により不動産が損傷した場合には、執行裁判所に対し、売却許可決定前にあっては売却の不許可の申出をし、売却許可決定後にあっては代金を納付する時までにその決定の取消しの申立てをすることができる（188・75Ⅰ本文）。ただし、不動産の損傷が軽微であるときは、この限りでない（188・75Ⅰ但書）。

× **033**

申立債権者は、買受人が代金を納付する期限までに代金を納付しなかった場合において、次順位買受申出人がいないときは、当該買受人の同意なしに、不動産担保権の実行の申立てを取り下げることができる（188・80Ⅰ前後）。

○ **034**

担保権の実行としての不動産競売においては、開始決定前の保全処分の制度が存在する（187）。これに対して、不動産の強制競売における売却のための保全処分は、強制競売の開始決定前にされることはなく、強制競売の開始決定後から、買受人が代金を納付するまでの間においてのみすることができる（55Ⅰ）。

× **035**

抵当権の実行としての競売の開始決定がされた不動産については、他の抵当権に基づく競売の申立てがされた場合には、更に競売の開始決定をすることができる（188・47Ⅰ）。

036 □□□ 平23-7-オ

担保不動産競売の手続において、配当表に記載された各債権者の債権又は配当の額について不服がある場合には、債務者ではない不動産の所有者も、配当異議の申出をすることができる。

037 □□□ 平6-6-5

抵当権の実行としての競売手続における買受人は、代金を納付した場合であっても、代金の納付前に抵当権が消滅していたときは、不動産を取得することができない。

038 □□□ 平11-6-オ

不動産の上に存する抵当権は、担保権の実行としての不動産競売では売却によって消滅するが、不動産の強制競売では売却によって消滅しない。

○ **036**

担保不動産競売において、配当表に記載された各債権者の債権又は配当の額について不服のある債権者及び債務者は、配当期日において、異議の申出をすることができる（188・89Ⅰ）。そして、この「債務者」には当該不動産の所有者（物上保証人）も含まれる（最判平9.2.25）。

× **037**

代金の納付による買受人の不動産の取得は、担保権の不存在又は消滅により妨げられない（184）。

× **038**

担保権の実行としての不動産競売においては、不動産の上に存する先取特権、使用及び収益をしない旨の定めのある質権並びに「抵当権」は、売却により消滅する（188・59Ⅰ）。そして、売却に伴い抵当権等の担保物権が消滅することは、不動産の強制競売においても同様である（59Ⅰ）。

民事保全法

第1編

民事保全法とは

❶ 保全命令に関する手続

保全命令

001 □□□ 令3-6-ア

仮の地位を定める仮処分命令の申立てについて口頭弁論を経た場合には、その申立てについての裁判は、判決をもってしなければならない。

002 □□□ 平16-6-ア

民事保全の手続に関する裁判は、口頭弁論を経ないですることができるが、口頭弁論を開いたときは、判決によらなければならない。

003 □□□ 平3-8-1（平30-6-ア）

仮差押命令は本案の管轄裁判所又は仮に差し押さえるべき物の所在地を管轄する地方裁判所が管轄する。

004 □□□ 令3-6-イ

100万円の貸金返還請求権を被保全権利とする債権の仮差押命令の申立てについては、簡易裁判所に申し立てることができる。

× **001**

民事保全手続は、手続迅速化の見地から、口頭弁論を経た場合であっても、全て決定手続とされている。

× **002**

民事保全の手続に関する裁判は、口頭弁論を経ないですることができる（3・任意的口頭弁論）が、たとえ口頭弁論を開いたときであっても、判決をもってすることはできない。民事保全の手続に関する裁判は、権利や権利関係を最終的に確定するものではなく、迅速性、柔軟性が要求されることから、全て決定の形式で行われる（民訴87Ⅰ但書参照）。

○ **003**

保全命令は、本案の管轄裁判所又は仮に差し押さえるべき物若しくは係争物の所在地を管轄する地方裁判所が管轄する（12Ⅰ）。

○ **004**

訴訟の目的の価額が140万円を超えない請求につき、簡易裁判所は第一審の裁判権を有する(裁33Ⅰ①)。そして、保全命令事件は、本案の管轄裁判所又は仮に差し押さえるべき物若しくは係争物の所在地を管轄する地方裁判所が管轄する（12Ⅰ）。したがって、100万円の貸金返還請求権を被保全権利とする債権の仮差押命令の申立てについては、簡易裁判所に申し立てることができる。

005 □□□ 平6-7-1

不動産の処分禁止の仮処分の命令の申立ては、当該不動産の所在地を管轄する地方裁判所にもすることができる。

006 □□□ 平8-7-3

仮差押命令は、保全の必要性の疎明があれば保全すべき権利の疎明がない場合でも発することができる。

007 □□□ 平24-6-ア

占有移転禁止の仮処分命令事件について管轄権を有する裁判所は、事件の著しい遅滞を避けるために必要があるときは、管轄権を有しない他の裁判所に当該仮処分命令事件を移送することができる。

008 □□□ 平29-6-エ（平4-8-4、平20-6-イ、平26-6-イ）

保全命令の申立ては、その趣旨並びに保全すべき権利又は権利関係及び保全の必要性を明らかにして、これをしなければならないところ、保全すべき権利又は権利関係については証明を要するが、保全の必要性については疎明で足りる。

009 □□□ 平9-7-1（平30-6-ウ）

保全命令の申立てをした者は、裁判所の許可を得た場合には、保証金の供託をすることをもって、保全の必要性の疎明に代えることができる。

○ **005**

保全命令事件は、本案の管轄裁判所又は仮に差し押さえるべき物若しくは「係争物の所在地を管轄する地方裁判所」が管轄する(12 Ⅰ)。

× **006**

保全命令の申立てにおいては、「保全の必要性」のみならず「保全すべき権利又は権利関係」についても、「疎明」が要求されている(13Ⅱ)。

× **007**

特別の定めがある場合を除き、民事保全の手続に関しては、民事訴訟法の規定を準用する(7)。第一審裁判所は、訴訟がその管轄に属する場合においても、当事者及び尋問を受けるべき証人の住所、使用すべき検証物の所在地その他の事情を考慮して、訴訟の著しい遅滞を避け、又は当事者間の衡平を図るため必要があると認めるときは、申立てにより又は職権で、訴訟の全部又は一部を他の管轄裁判所に移送することができる(民訴17)。したがって、「管轄権を有しない」他の裁判所に移送することができない。

× **008**

保全命令の申立ては、①申立ての趣旨、②保全すべき権利又は権利関係、③保全の必要性を明らかにしてする必要がある(13Ⅰ)。そして、保全すべき権利又は権利関係及び保全の必要性は、疎明で足りる(13Ⅱ)。

× **009**

保全命令の申立てにおいては、保全すべき権利又は権利関係及び保全の必要性を疎明しなければならないが(13Ⅱ)、この疎明は、保証金の供託をもって、これに代えることはできない。

010 □□□ 平12-7-イ

係争物に関する仮処分命令の申立ても、仮の地位を定める仮処分命令の申立ても、保全すべき権利又は権利関係及び保全の必要性を明らかにしてしなければならない。

011 □□□ 平21-6-1

仮差押命令の申立てに当たり、保全をすべき権利又は権利関係及び保全の必要性の立証は、即時に取り調べることができる証拠によってしなければならない。

012 □□□ 令2-6-ウ（平4-8-5、平9-7-2、平21-6-4）

保全命令を発する場合には、あらかじめ担保を立てさせなければならない。

013 □□□ 平9-7-3

保全命令の担保を立てるには、金銭を供託所に供託する方法によらなければならない。

014 □□□ 平9-7-5

保全命令の担保として金銭を供託する場合、その供託は、担保を立てるべきことを命じた裁判所の管轄区域内の供託所にしなければならない。

○ **010**

保全命令の申立ては、①申立ての趣旨、②保全すべき権利又は権利関係及び③保全の必要性を明らかにしてしなければならない（13Ⅰ）。この点については、係争物に関する仮処分命令の申立てと、仮の地位を定める仮処分命令の申立てとで差異はない。

○ **011**

保全命令の申立てにおいて、保全すべき権利又は権利関係及び保全の必要性は、疎明しなければならず（13Ⅱ）、疎明は即時に取り調べることができる証拠によってしなければならない（7、民訴188）。

× **012**

保全命令は、担保を立てさせて、若しくは相当と認める一定の期間内に担保を立てることを保全執行の実施の条件として、又は担保を立てさせないで発することができる（14Ⅰ）。

× **013**

担保提供の方法は金銭による供託には限定されない（4Ⅰ）。

× **014**

保全命令の担保として金銭を供託する場合、その供託場所は、原則として「担保を立てるべきことを命じた裁判所又は保全執行裁判所の所在地を管轄する地方裁判所の管轄区域内の供託所」である（4Ⅰ）。

015 □□□ 平12-7-エ（平22-6-オ）

係争物に関する仮処分命令も、仮の地位を定める仮処分命令も、担保を立てさせないで発することができる。

016 □□□ 平22-6-ア

仮の地位を定める仮処分命令及び係争物に関する仮処分命令は、いずれも急迫の事情があるときに限り、裁判長が発することができる。

017 □□□ 平16-6-ウ（平22-6-ウ、平29-6-オ）

保全命令の申立てについての決定には、理由を付さなければならないが、口頭弁論を経ないで決定をする場合には、理由の要旨を示せば足りる。

018 □□□ 平22-6-イ

仮の地位を定める仮処分命令の申立書及び係争物に関する仮処分命令の申立書は、いずれも相手方に送達しなければならない。

019 □□□ 令3-6-エ

仮差押命令の申立てを却下する決定は、債務者に告知しなければならない。

○ **015**

保全命令は、「担保を立てさせて、若しくは相当と認める一定の期間内に担保を立てることを保全執行の実施の条件として、又は担保を立てさせないで」発することができる（14Ⅰ）。この点、係争物に関する仮処分命令の申立てと、仮の地位を定める仮処分命令の申立てとで差異はない。

○ **016**

保全命令は、原則として裁判所が発するが、急迫の事情があるときに限り、裁判長が発することができる（15）。

○ **017**

保全命令の申立てについての決定には理由を付さなければならないが、口頭弁論を経ないで決定をする場合には理由の要旨を示せば足りる（16）。

× **018**

保全命令は、当事者に送達しなければならない（17）。これは、係争物に関する仮処分命令、仮の地位を定める仮処分に共通である。しかし、保全命令の申立書を送達すべき旨の規定はない。

× **019**

保全命令の申立てを却下する決定及びこれに対する即時抗告を却下する決定は、債務者に対し口頭弁論又は審尋の期日の呼出しがされた場合を除き、債務者に告知することを要しない（民保規16Ⅰ）。

020 □□□ 平4-8-2

保全命令の発令後に、保全命令の申立てを取り下げるには、債務者の同意を得なければならない。

021 □□□ 令2-6-オ（平7-7-1、平14-7-イ、平20-6-エ、平21-6-3）

保全命令の申立てを取り下げるには、保全異議又は保全取消しの申立てがあった後においても、債務者の同意を得ることを要しない。

022 □□□ 平6-7-3

不動産の処分禁止の仮処分の執行がなされた後に、仮処分命令の申立てを取り下げるには、債務者の同意を得なければならない。

023 □□□ 平8-7-2（平3-8-2、平14-7-オ、平20-6-オ）

仮差押命令は、支払期限が到来していない金銭債権を保全する場合でも発することができる。

024 □□□ 令2-6-エ

仮差押命令は、被保全権利である金銭の支払を目的とする債権が条件付又は期限付である場合においても、これを発することができる。

025 □□□ 平25-6-ア

主たる債務者の委託を受けない保証人が弁済をした場合に取得する求償権は、当該弁済の前であっても、仮差押命令の被保全権利とすることができる。

× **020**

保全命令の申立てを取り下げるには、債務者の同意を得ることを要しない（18）。

○ **021**

保全命令の申立てを取り下げるには、保全異議又は保全取消しの申立てがあった後においても、債務者の同意を得ることを要しない（18）。

× **022**

保全命令は、本案訴訟の確定までの暫定的な処分であり、既判力が生じないことから、保全命令の申立ての取下げに、債務者の同意は不要である（18）。

○ **023**

仮差押命令は、支払期限が到来していない金銭債権を保全する場合でも発することができる（20Ⅱ参照）。

○ **024**

仮差押命令は、金銭の支払を目的とする債権について、強制執行をすることができなくなるおそれがあるとき、又は強制執行をするのに著しい困難を生ずるおそれがあるときに発することができる（20Ⅰ）。そして、仮差押命令は、その債権が条件付又は期限付である場合においても、発することができる（20Ⅱ）。

○ **025**

仮差押命令の被保全権利は、期限付又は条件付のものや将来の請求権でもよい（20Ⅱ参照）。この点、将来の請求権には、保証人の主債務者に対する将来の求償権や履行不能の場合の損害賠償請求権などが含まれる。

026 □□□ 平19-6-ア

被保全権利が条件付である場合であっても、係争物に関する仮処分命令を発することができる。

027 □□□ 平14-7-エ（平25-6-イ、平29-6-ア）

不動産の仮差押命令は目的物を特定して発しなければならないが、動産の仮差押命令は目的物を特定しないで発することができる。

028 □□□ 平8-7-1

仮差押命令は、債権を目的とする場合でも、その目的債権を特定しないで発することができる。

029 □□□ 平9-7-4（平3-8-3、平29-6-イ）

裁判所は仮差押命令を発する場合には、仮差押えの執行の停止を得るため、又は既にした仮差押えの執行の取消しを得るために債務者が供託すべき金銭（仮差押解放金）の額を定めなければならない。

030 □□□ 平26-6-エ（平19-6-ウ、平28-6-ア）

裁判所は、仮の地位を定める仮処分命令において、仮処分解放金を定めることができる。

031 □□□ 平25-6-ウ（令5-6-エ）

仮差押命令の申立てについて口頭弁論を経て決定をする場合には、その決定には、理由を付さなければならない。

○ **026**

仮処分命令は、保全すべき権利又は権利関係が条件付又は期限付きである場合においても、発することができる（23Ⅲ・20Ⅱ）。

○ **027**

不動産の仮差押命令は目的物を特定して発しなければならないが、動産の仮差押命令は目的物を特定しないで発することができる（21）。

× **028**

仮差押命令の対象となる目的物は、目的物が動産の場合を除き、特定されていなければならない（21）。

○ **029**

仮差押命令においては、仮差押えの執行の停止を得るため、又は既にした仮差押えの執行の取消しを得るために債務者が供託すべき金銭（仮差押解放金）の額を定めなければならない（22Ⅰ）。

× **030**

仮の地位を定める仮処分命令は、金銭の支払を受けることをもってその行使の目的を達することができるものではないため、仮処分解放金を定めることはできない（25Ⅰ参照）。

○ **031**

保全命令の申立てについての決定には、原則として理由を付さなければならない（16本文）。もっとも、口頭弁論を経ないで決定をする場合には、理由の要旨を示せば足りる（同但書）。

032 □□□ 平8-7-5

債務者が仮差押解放金を供託したことを証明した場合は、裁判所は仮差押命令を取り消さなければならない。

033 □□□ 平25-6-エ

仮差押命令において定められた仮差押解放金を債務者が供託したときは、その仮差押命令は、発令の時にさかのぼってその効力を失う。

034 □□□ 平31-6-イ

仮の地位を定める仮処分命令は、金銭の支払を目的とする債権を保全すべき権利とする場合でなければ、発することができない。

035 □□□ 平31-6-ア

仮の地位を定める仮処分命令は、保全すべき権利が条件付又は期限付である場合には、発することができない。

036 □□□ 平29-6-ウ

抵当権の実行を禁止する仮処分命令は、係争物に関する仮処分命令であり、その現状の変更により、債権者が権利を実行することができなくなるおそれがあるとき、又は権利を実行するのに著しい困難を生ずるおそれがあるときに発することができる。

× **032**

債務者が仮差押解放金を供託しその事実を証明したときは、保全執行裁判所は仮差押命令の「執行」が取り消されるのであって（51Ⅰ）、仮差押命令自体が取り消されるわけではない。

× **033**

債務者が仮差押解放金として定められた金銭の額に相当する金銭を供託したことを証明したときは、保全執行裁判所は、仮差押えの執行を取り消さなければならない（51Ⅰ）。この点、仮差押えの執行が取り消されるにすぎず、仮差押命令が発令の時にさかのぼってその効力を失うわけではない。

× **034**

仮の地位を定める仮処分命令は、争いがある権利関係について債権者に生ずる著しい損害又は急迫の危険を避けるためこれを必要とするときに発することができる（23Ⅱ）。

× **035**

仮処分命令は、保全すべき権利が条件付又は期限付である場合においても、これを発することができる（23Ⅲ・20Ⅱ）。

× **036**

仮の地位を定める仮処分命令は、争いがある権利関係について債権者に生ずる著しい損害又は急迫の危険を避けるためこれを必要とするときに発することができる（23Ⅱ）。そして、抵当権の実行を禁止する仮処分命令は、仮の地位を定める仮処分命令に該当する。

037 □□□ 平22-6-エ（平26-6-ア）

仮の地位を定める仮処分命令及び係争物に関する仮処分命令は、いずれも争いがある権利関係について債権者に著しい損害又は急迫の危険を避けるためこれを必要とするときに限り、発することができる。

038 □□□ 平31-6-オ

仮の地位を定める仮処分命令は、債務者だけでなく、債権者にも送達しなければならない。

039 □□□ 平12-7-ウ（平19-6-イ、平20-6-ア、平26-6-ウ、平31-6-ウ）

係争物に関する仮処分命令は、口頭弁論又は債務者が立ち会うことができる審尋の期日を経ないでも発することができるが、仮の地位を定める仮処分命令は、口頭弁論又は債務者が立ち会うことができる審尋の期日を経ないで発することはできない。

040 □□□ 平19-6-エ（平24-6-イ）

占有移転禁止の仮処分命令であって、係争物が不動産であるものについては、その執行前に債務者を特定することを困難とする特別の事情があるときは、債務者を特定しないで、これを発することができる。

× 037

係争物に関する仮処分命令は、その現状の変更により、債権者が権利を実行することができなくなるおそれがあるとき、又は権利を実行するのに著しい困難を生ずるおそれがあるときに発することができる（23Ⅰ）。これに対して、仮の地位を定める仮処分命令は、争いがある権利関係について債権者に生ずる著しい損害又は急迫の危険を避けるためこれを必要とするときに発することができる（23Ⅱ）。

○ 038

保全命令は、債権者及び債務者に送達しなければならない（17）。

× 039

係争物に関する仮処分命令は、口頭弁論又は債務者が立ち会うことができる審尋の期日を経ないでも発することができる（23Ⅳ本文参照）。これに対し、仮の地位を定める仮処分命令は、口頭弁論又は債務者が立ち会うことのできる審尋の期日を経なければ、これを発することができないのが原則である（23Ⅳ本文）が、「その期日を経ることにより仮処分命令の申立ての目的を達することができない事情があるとき」は、その期日を経る必要はない（同Ⅳ但書）。

○ 040

占有移転禁止の仮処分命令であって、係争物が不動産であるものについては、その執行前に債務者を特定することを困難とする特別の事情があるときは、裁判所は、債務者を特定しないでこれを発することができる（25の2Ⅰ柱書）。

041 □□□ 平28-6-エ（令2-6-イ）

占有移転禁止の仮処分命令は、債務者を特定することを困難とする特別の事情がある場合には、係争物が動産であるときであっても、債務者を特定しないで発することができる。

042 □□□ 平24-6-ウ

占有移転禁止の仮処分命令のうち、係争物を執行官に保管させ、かつ、債務者の使用を許さないものについては、口頭弁論又は債務者が立ち会うことができる審尋の期日を経なければ、これを発することができない。

保全命令に対する不服申立て

043 □□□ 平31-6-エ

仮の地位を定める仮処分命令の申立てを却下する裁判に対しては、債権者は、告知を受けた日から２週間の不変期間内に、即時抗告をすることができる。

044 □□□ 令6-6-イ

保全命令に対しては、その命令につき不服のある債務者は、即時抗告をすることができる。

× **041**

占有移転禁止の仮処分命令であって、係争物が不動産であるものについては、その執行前に債務者を特定することを困難とする特別の事情があるときは、裁判所は、債務者を特定しないで、これを発することができる（25の2Ⅰ柱書）。この点、本条は不動産の執行妨害事案に対処するために設けられた規定であるため、係争物が不動産であるものに適用が限定されている。

× **042**

口頭弁論又は債務者が立ち会うことができる審尋の期日を経ることを要するのは、仮の地位を定める仮処分命令の発令の場合であって、係争物に関する仮処分命令を発する場合には、口頭弁論又は債務者が立ち会うことができる審尋の期日を経ることは要しない（23Ⅳ本文参照）。

○ **043**

保全命令の申立てを却下する裁判に対しては、債権者は、告知を受けた日から２週間の不変期間内に、即時抗告をすることができる（19Ⅰ）。

× **044**

保全命令の申立てを却下する裁判に対しては、債権者は、告知を受けた日から２週間の不変期間内に、即時抗告をすることができる（19Ⅰ）。

045 □□□ 平5-2-1

債務者は、保全命令に対して、その告知を受けた日から2週間以内に即時抗告を申し立てることができる。

046 □□□ 平23-6-ア（平27-6-ア）改題

保全異議の申立ては、保全命令を発した裁判所又は本案の裁判所にすることができる。

047 □□□ 平21-6-5

債務者が仮差押命令に対して保全異議を申し立てる場合には、2週間以内に、その命令を発した裁判所に申立てをしなければならない。

048 □□□ 令3-6-オ

仮差押命令に対する保全異議の申立ては、本案の訴えが提起された後であってもすることができる。

049 □□□ 平18-6-1

保全異議事件については、保全命令を発した裁判所が管轄権を有し、同裁判所は、事件を他の裁判所に移送することはできない。

× **045**

保全命令に対しては、債務者は、「保全異議」を申し立てることができる（26）が、即時抗告を申し立てることはできない。

× **046**

保全命令に対する保全異議の申立ては、その命令を発した裁判所にすることができ（26）、本案の裁判所にすることはできない。

× **047**

債務者が保全命令に対して保全異議を申し立てる場合に、申立て期間を制限する規定はないため、保全異議の利益がある間はいつでも、申し立てることができる。

○ **048**

裁判所が仮差押命令を発したときは、債務者は、その命令を発した裁判所に保全異議を申し立てることができる（26）。そして、保全異議の申立てに、期限の制限はない。

× **049**

保全命令に対しては、債務者は、その命令を発した裁判所に保全異議を申し立てることができ（26）、裁判所は、当事者、尋問を受けるべき証人及び審尋を受けるべき参考人の住所その他の事情を考慮して、保全異議事件につき著しい遅滞を避け、又は当事者間の衡平を図るために必要があるときは、申立てにより又は職権で、当該保全命令事件につき管轄権を有する他の裁判所に事件を移送することができる（28）。

050 □□□ 平5-2-3（平18-6-4、平23-6-ウ、平27-6-ウ）

保全異議の手続において、裁判所は、口頭弁論又は当事者双方が立ち会うことができる審尋の期日を経なければ、保全異議の申立てについての決定をすることができない。

051 □□□ 平16-6-エ

保全命令の申立てについての審理において提出された資料は、保全異議事件の審理において、すべて資料として利用することができる。

052 □□□ 平23-6-オ改題

保全異議の申立ての決定には、理由を付さなければならず、理由の要旨を示すことでは足りない。

053 □□□ 平18-6-5

保全異議の申立てにより保全命令を取り消す決定は、債権者がその決定の送達を受けた日から２週間を経過しなければ、効力を生じない。

054 □□□ 平18-6-3（平23-6-イ、平26-6-オ、平27-6-イ）

債務者が保全異議の申立てを取り下げるには、債権者の同意を得ることを要しない。

○ **050**

保全異議事件では、保全命令の申立てについて、被保全権利と保全の必要性の有無を再審理するという性質上、とりわけ債務者の手続保障が重視されるため、裁判所は、口頭弁論又は当事者双方が立ち会うことができる審尋の期日を経なければ、保全異議の申立てについての決定をすることができない（29）。

○ **051**

保全命令の申立てについての審理において提出された資料は、保全異議事件の審理において、全て資料として利用することができる。

○ **052**

保全異議の申立てについての決定には、理由を付さなければならない（32Ⅳ・16本文）。

× **053**

裁判所は、32条１項の規定により保全命令を取り消す決定において、その送達を受けた日から２週間を超えない範囲内で相当と認める一定の期間を経過しなければその決定の効力が生じない旨を宣言することができる（34本文）。裁判所の裁量により、その効力の発生を遅らせることを認めたものであって、常に取消決定の効力が送達を受けた日から２週間後に生じるわけではない。

○ **054**

債務者が保全異議の申立てを取り下げても、債権者には何の不利益も生じないため、取下げに債権者の同意を得ることを要しない（35）。

055 □□□　　平23-6-ア改題

本案の訴えの不提起による保全取消しの申立ては、保全命令を発した裁判所にすることができる。

056 □□□　　平23-6-エ

保全命令が発せられた後、債権者が相当と認められる期間内に本案の訴えを提起していないことが判明した場合には、裁判所は、職権で、債権者に対し、相当と認める一定の期間内に本案の訴えを提起するように命ずることができ、これに応じない場合には、その保全命令を取り消すことができる。

057 □□□　　平23-6-オ改題

保全取消しの申立てについての決定には、理由を付さなければならず、理由の要旨を示すことでは足りない。

058 □□□　　平7-7-3

保全命令が発せられた後に、保全の必要性が消滅したときは、債務者は、本案の裁判所に対しても、保全命令の取消しの申立てをすることができる。

059 □□□　　平27-6-エ

保全命令を発した裁判所又は本案の裁判所は、保全すべき権利又は権利関係が消滅したときに限り、保全命令を取り消すことができる。

○ **055**

本案の訴えの不提起による保全取消しの申立ては、その命令を発した裁判所にすることができ、本案の裁判所にすることはできない（37Ⅰ）。

× **056**

保全命令を発した裁判所は、債務者の申立てにより、債権者に対し、相当と認める一定の期間内に、本案の訴えを提起するとともにその提起を証する書面を提出し、既に本案の訴えを提起しているときはその係属を証する書面を提出すべきことを命じなければならない（37Ⅰ）。そして、債権者が一定の期間内に当該書面を提出しなかったときは、裁判所は、債務者の申立てにより、保全命令を取り消さなければならない（37Ⅲ）。

○ **057**

保全取消しの申立てについての決定には、理由を付さなければならない（37Ⅷ・38Ⅲ・39Ⅲ）。

○ **058**

保全すべき権利若しくは権利関係又は保全の必要性の消滅その他の事情の変更があるときは、保全命令を発した裁判所又は本案の裁判所は、債務者の申立てにより、保全命令を取り消すことができる（38Ⅰ）。

× **059**

保全すべき権利若しくは権利関係又は保全の必要性の消滅その他の事情の変更があるときは、保全命令を発した裁判所又は本案の裁判所は、債務者の申立てにより、保全命令を取り消すことができる（38Ⅰ）。

060 □□□ 平7-7-4

仮処分命令により償うことができない損害を生ずるおそれがあるときは、債務者は、本案の裁判所に対しても、仮処分命令の取消しの申立てをすることができる。

061 □□□ 平27-6-オ

仮処分命令を発した裁判所又は本案の裁判所は、仮処分命令により償うことができない損害を生ずるおそれがあるときその他の特別の事情があるときは、債務者の申立てにより、担保を立てることを条件として仮処分命令を取り消すことができる。

062 □□□ 平7-7-2

起訴命令が発せられた場合において、本案に関し仲裁合意があるときは、債権者が仲裁手続の開始の手続をとれば、本案の訴えを提起したものとみなされる。

063 □□□ 平23-6-イ改題

保全取消しの申立てを取り下げるには、債権者の同意を得ることを要しない。

064 □□□ 令2-6-ア

保全命令に対しては、債務者は、その命令を発した裁判所に保全抗告をすることができる。

065 □□□ 平5-2-5

保全抗告についての裁判に対して、更に抗告をすることができる。

○ **060**

仮処分命令により償うことができない損害を生ずるおそれがあるときその他の特別の事情があるときは、仮処分命令を発した裁判所又は本案の裁判所は、債務者の申立てにより、担保を立てることを条件として仮処分命令を取り消すことができる（39Ⅰ）。

○ **061**

仮処分命令により償うことができない損害を生ずるおそれがあるとき、その他の特別の事情があるときは、仮処分命令を発した裁判所又は本案の裁判所は、債務者の申立てにより、担保を立てることを条件として、仮処分命令を取り消すことができる（39Ⅰ）。

○ **062**

起訴命令（37Ⅰ）が発せられた場合において、本案に関し仲裁合意があるときは、債権者が仲裁手続の開始の手続をとれば、本案の訴えを提起したものとみなされる（37Ⅴ）。

○ **063**

保全取消しの申立てを取り下げるには、債権者の同意を得ることを要しない（40Ⅰ・35）。

× **064**

保全命令の申立てが認容されて保全命令が発令された場合の債務者からする不服申立ては、保全異議（26）と保全取消し（37・38・39）であり、保全抗告（41）はこれら保全異議又は保全取消しの申立ての裁判に対する不服申立て方法となる。

× **065**

保全抗告についての裁判に対しては、更に抗告をすることができない（41Ⅲ）。

❷ 保全執行に関する手続

066 □□□ 平30-6-エ

保全執行は、申立てにより又は職権で、裁判所又は執行官が行う。

067 □□□ 平17-7-イ改題

仮差押えの執行は、保全命令に表示された当事者の承継人の財産に対してはすることができない。

068 □□□ 平11-7-イ（平17-7-ウ）

保全執行は、債権者に対して保全命令が送達された日から２週間を経過したときは、これをしてはならない。

069 □□□ 平11-7-ウ（平3-8-4、平17-7-ア、平20-6-ウ、平30-6-オ）

保全執行は、保全命令が債務者に送達される前であっても、これをすることができる。

070 □□□ 平24-6-エ

占有移転禁止の仮処分命令は、仮処分命令が債務者に送達される前であっても、その執行に着手することができる。

× **066**

民事保全の執行は、申立てにより、裁判所又は執行官が行う（2Ⅱ）。

× **067**

保全執行においては、保全命令に表示された当事者以外の者を債権者又は債務者とする場合を除いて、保全命令執行文の付与を要せず、保全命令正本に基づいてなされる（43Ⅰ）。したがって、執行文の付与を受ければ、保全命令に表示された当事者の承継人の財産についても仮差押えの執行が可能となる。

○ **068**

保全命令は緊急の必要により発せられたものであり、担保の額も発令当時の事情を前提としており、長期間経過すると事情の変更により不当執行となるおそれがあるため、保全執行は、債権者に対して保全命令が送達された日から2週間を経過したときは、これをしてはならない（43Ⅱ）。

○ **069**

債務者からの執行妨害を防止するため、保全執行は、保全命令が債務者に送達される前であっても、することができる（43Ⅲ）。

○ **070**

保全執行は、保全命令が債務者に送達される前であっても、これをすることができる（43Ⅲ）。

071 □□□ 平17-7-エ

仮差押えの執行は、その目的物が動産の場合には、目的物を特定しないですることができる。

072 □□□ 平11-7-エ

不動産に対する仮差押えの執行は、これを強制管理の方法により行うことはできない。

073 □□□ 平11-7-オ

金銭債権に対する仮差押えの執行は、保全執行裁判所が債務者に対し債権の取立てその他の処分を禁止する命令を発する方法により行う。

074 □□□ 平25-6-オ

仮差押えの執行は、債権者に対して仮差押命令が送達された日から2週間を経過したときは、これをしてはならない。

075 □□□ 平13-6-イ

債権者は、占有移転禁止の仮処分の執行がされたことを知って目的物を占有した者に対しては、その者が債務者の占有を承継した者でない場合であっても、本案の債務名義に基づき目的物の引渡しの強制執行をすることができる。

○ **071**

動産に対する差押えの申立てにおいては、差押債権者が目的物を特定することは困難であるため、執行官が差し押さえるべき動産を選択することとされている（民執規99・100）。この規定は、動産に対する仮差押えの執行についても準用されており、債権者は目的物を特定する必要はない（民保規40、民執99・100）。

× **072**

不動産に対する仮差押えの執行は、仮差押えの登記をする方法又は強制管理の方法で行われ、これらを併用することもできる（47Ⅰ、民執43Ⅰ・Ⅱ）。

× **073**

金銭債権に対する仮差押えの執行は、「保全執行裁判所が第三債務者に対して債務者への弁済を禁止する命令を発する方法」で行われる（50Ⅰ）。

○ **074**

保全執行は、債権者に対して保全命令が送達された日から2週間を経過したときは、これをしてはならない（43Ⅱ）。

○ **075**

債権者は、占有移転禁止の仮処分の執行がされたことを知って目的物を占有した者に対しては、その者が債務者の占有を承継した者でない場合であっても、本案の債務名義に基づき目的物の引渡しの強制執行をすることができる（62Ⅰ①）。

076 □□□　平13-6-ウ（平19-6-オ）

債権者は、占有移転禁止の仮処分の執行がされたことを知らないで債務者の占有を承継した者に対しても、本案の債務名義に基づき目的物の引渡しの強制執行をすることができる。

077 □□□　平13-6-オ（平30-6-イ）

占有移転禁止の仮処分の執行後に目的物を占有した者は、債務者の占有を承継したものと推定される。

078 □□□　平24-6-オ

占有移転禁止の仮処分命令の執行後に債務者からの占有の承継によらないで目的物を占有した第三者は、その執行がされたことを知らずに占有したことを証明した場合であっても、当該仮処分命令の効力が及ぶことを免れることができない。

○ **076**

債権者は、占有移転禁止の仮処分の執行がされたことを知らないで債務者の占有を承継した者に対しても、本案の債務名義に基づき目的物の引渡しの強制執行をすることができる（62Ⅰ②）。

× **077**

占有移転禁止の仮処分命令の執行後に目的物を占有した者は、その執行がされたことを知って占有したものと推定されるが（62Ⅱ）、債務者の占有を承継したものと推定されることはない。

× **078**

62条1項の本案の債務名義につき同項の債務者以外の者に対する執行文が付与されたときは、その者は、仮処分の執行がされたことを知らず、かつ、債務者の占有の承継人でないことを理由として、執行文付与に対する異議の申立てをすることができる（63）。

供託法

第1編

供託の制度

1 供託物

001 □□□ 平23-9-ウ

金銭の供託の目的物として供託をすることができる金銭は、我が国の通貨に限られる。

002 □□□ 平16-9-イ

弁済の目的物が株券である場合において、債権者がその受領を拒否したときは、債務者は、法務大臣が指定した倉庫営業者に当該株券を供託することができる。

003 □□□ 平20-10-ア（令2-11-ア）

担保（保証）供託においては、担保の効力は、その目的物である供託金の元本のみに及び、供託金利息には及ばない。

004 □□□ 令6-9-ウ（平30-11-ア）

民事訴訟における当事者が供託する方法により仮執行免脱の担保を立てる場合には、有価証券を供託物とすることができない。

005 □□□ 平22-10-オ（平15-10-イ）

民事訴訟において当事者が供託する方法により仮執行免脱の担保を立てる場合には、裁判所が相当と認める有価証券を当該供託の目的物とすることができる。

○ **001**

供託物が金銭又は有価証券である場合は、法務局、地方法務局又はそれらの支局若しくは法務大臣の指定する出張所に供託することができるが（1）、ここにいう供託できる金銭とは、我が国の通貨に限られ、外国の通貨は含まれない。

× **002**

供託物が金銭又は有価証券である場合には、法務局・地方法務局及びこれらの支局、並びに法務大臣が指定する出張所が、供託所として供託事務を取り扱う（1）。

○ **003**

担保（保証）供託においては、担保権の目的は供託物そのものであって、その効力は、供託物の果実（利息及び利札）には及ばない（昭37.6.7民甲1483号）。

× **004**

仮執行免脱の担保（民訴259Ⅲ・Ⅵ）のように、民事訴訟において担保を立てる場合、当事者が特別の契約をしたときを除き、金銭又は裁判所が相当と認める有価証券を供託する方法によらなければならない（民訴76）。

○ **005**

民事訴訟において担保を立てるには、原則として金銭又は裁判所が相当と認める有価証券を供託する方法によらなければならない（民訴76）。

006 □□□ 平19-11-イ

民事保全法の保全命令に係る担保供託は、振替国債によってすることはできない。

007 □□□ 平4-12-4（平24-11-オ）

仮処分解放金の供託をする場合には、金銭でしなければならず、金銭に代えて有価証券ですることはできない。

008 □□□ 平16-9-ウ

弁済の目的物が供託に適さないものであるときは、債務者は、裁判所の許可を得てこれを競売し、その代価を供託所に供託することができる。

009 □□□ 平25-9-ア

弁済の目的物について損傷による価格の低落のおそれがあるときは、弁済者は、裁判所の許可を得て、これを競売に付し、その代金を供託することができる。

× 006

保全命令の担保を立てる方法としては、①金銭又は担保を立てるべきことを命じた裁判所が相当と認める有価証券を供託する方法、②最高裁判所規則で定める方法（民保規2）及び、③当事者間の特別の契約の３種類がある（民保４Ⅰ）。この裁判所が相当と認める有価証券には振替国債も含まれる（社債株式振替278Ⅰ）。

○ 007

仮処分解放金の供託をする場合には、金銭でしなければならず、金銭に代えて有価証券ですることはできない（民保25Ⅰ、平2.11.13民四5002号）。

○ 008

弁済者は、弁済の目的物が供託に適さない場合、裁判所の許可を得て競売をしてその代価を供託所に供託できる（民497①）。

○ 009

弁済の目的物について滅失、損傷その他の事由による価格の低落のおそれがあるときは、弁済者は、裁判所の許可を得て、これを競売に付し、その代金を供託することができる（民497②）。

❷ 供託所とその管轄

010 □□□ 令3-9-エ

不法行為に基づく損害賠償債務について、債権者の住所が不明である場合の受領不能を原因とする弁済供託は、不法行為があった地の供託所にすることができる。

011 □□□ 平3-11-3

交通事故の被害者が行方不明のためにする損害賠償債務の弁済供託は、被害者の最後の住所地の供託所にしなければならない。

012 □□□ 平25-9-イ

建物の賃貸借における賃料の支払場所について別段の意思表示がない場合において、賃貸人が死亡し、その地位を承継すべき相続人が不明であるため、賃借人が賃貸人の死亡後に発生した賃料につき債権者不確知を原因とする弁済供託をするときは、賃借人の現在の住所地の供託所にしなければならない。

013 □□□ 平8-9-ア（平2-12-5）

金銭債権について弁済供託をする場合において、債務の履行地である市区町村内に供託所がないときは、裁判所が指定した供託所に供託しなければならない。

× **010**

弁済供託は、債務の履行地の供託所にしなければならない（民495Ⅰ）。そして、不法行為に基づく損害賠償債務は当事者の別段の意思表示のない限り、持参債務となる（民484Ⅰ後段・722Ⅰ・417）。この点、持参債務について、弁済の場所の契約がなく、債権者の住所が不明であるため、受領不能を原因として弁済供託する場合には、債権者の最後の住所地の供託所に供託するものとされている（昭39全国供託課長会同決議）。

○ **011**

債権者の住所が不明の持参債務の場合に、受領不能（民494Ⅰ②）を理由に供託するときは、債権者の最後の住所地の供託所に供託するものとされている（昭39全国供託課長会同決議）。

× **012**

賃貸人が死亡した場合、賃借人は、相続人の有無を戸籍関係について調査する必要はなく、相続人が不明であるときは、債権者不確知を事由に賃料の弁済供託をすることができる（昭37.7.9民事甲1909号）。この場合、賃料債権は、賃貸人の住所地を管轄する供託所に供託することとなる。

× **013**

弁済供託は債務履行地の供託所にすることを要するが（民495Ⅰ）、その地に供託所がない場合には、債務履行地の属する行政区画内における最寄りの供託所にすれば足りる（昭23.8.20民甲2378号）。

014 □□□ 平28-9-ア（平20-9-ウ）

弁済供託は、債務の履行地の供託所にしなければならないが、債務の履行地の属する行政区画内に供託所がない場合には、その地を包括する行政区画内における最寄りの供託所にすれば足りる。

015 □□□ 平22-9-2（平2-12-3）

債権の目的が外国の通貨の給付である場合において、債権者が弁済の受領を拒んだときは、債務者は、法務大臣が指定した倉庫営業者若しくは銀行又は裁判所が指定した供託所に受領拒絶を原因とする当該通貨の供託をすることができる。

016 □□□ 平26-11-イ（平元-14-4、平8-9-イ）

金銭債権が差し押さえられた場合において、第三債務者が差押金額に相当する金銭を供託するときは、執行裁判所の所在地を管轄する地方裁判所の管轄区域内の供託所にしなければならない。

017 □□□ 平2-12-2

不動産の供託は、法務大臣の指定する銀行が取り扱う。

○ **014**

弁済供託は、債務履行地の供託所にしなければならない（民495Ⅰ）が、債務履行地の属する最小行政区画（市区町村）内に供託所がない場合には、債務履行地の属する行政区画（都道府県）内における最寄りの供託所にすれば足りる（昭23.8.20民甲2378号）。

○ **015**

供託物が金銭又は有価証券である場合は、法務局、地方法務局又はそれらの支局若しくは法務大臣の指定する出張所が供託所となる（1）。ここにいう金銭とは、日本における通貨をいい、外国の通貨は含まれない。外国の通貨は、金銭、有価証券及び振替国債以外の物品として取り扱われ、法務大臣の指定する倉庫業者又は銀行が供託所となる（5Ⅰ）。

× **016**

第三債務者は、差押えに係る金銭債権（差押命令により差し押さえられた金銭債権に限る。）の全額に相当する金銭を債務の履行地の供託所に供託することができる（民執156Ⅰ）。

× **017**

土地収用法95条5項及び道路法94条3項においては、明白に土地を供託すべき旨を定めており、この場合には、民法495条2項、非訟事件手続法94条の裁判所による供託所の指定及び供託物保管者の選任に関する規定を準用しているところから（土収99Ⅱ、道路94Ⅳ）、土地に関する供託所としては法務局たる供託所を予定しておらず、非訟事件として裁判所によって処理するのが妥当と解されている。

018 □□□ 平28-9-イ

宅地建物取引業者がすべき営業保証金の供託は、当該宅地建物取引業者が複数の事務所を有している場合には、それぞれの事務所の最寄りの供託所にしなければならない。

019 □□□ 令3-9-イ

宅地建物取引業者が事業の開始後新たに事務所を設置したときの営業保証金の供託は、主たる事務所の最寄りの供託所にしなければならない。

020 □□□ 平20-10-イ（平8-9-ウ）

訴訟費用の担保供託は、担保を立てるべきことを命じた裁判所の所在地を管轄する地方裁判所の管轄区域内の供託所にしなければならない。

021 □□□ 平28-9-エ

民事訴訟の訴訟費用の担保のために行う担保供託は、担保を立てるべきことを命じた裁判所の所在地を管轄する地方裁判所の管轄区域内の供託所にしなければならない。

022 □□□ 令2-11-イ

裁判上の担保供託は、担保を立てるべきことを命じた裁判所の所在地を管轄する地方裁判所の管轄区域内のいずれの供託所にもすることができる。

× **018**

宅地建物取引業者は、営業保証金を主たる事務所の最寄りの供託所に供託しなければならない（宅建業25Ⅰ）。

○ **019**

宅地建物取引業者は、事業の開始後新たに事務所を設置したときは、当該事務所につき営業保証金の供託を主たる事務所の最寄りの供託所に供託しなければならない（宅建業26Ⅰ・Ⅱ・25Ⅰ）。

○ **020**

訴訟法上の供託は、担保を供すべきことを命じた裁判所の所在地を管轄する地方裁判所の管轄区域内の供託所に金銭・有価証券を提供する方法によってしなければならない（民訴76）。なお、その管轄区域内であれば、いずれの供託所にもすることができる。

○ **021**

原告が日本国内に住所、事務所及び営業所を有しないときは、裁判所は、被告の申立てにより、決定で、訴訟費用の担保を立てるべきことを原告に命じなければならない（民訴75Ⅰ）。そして、当該規定による訴訟費用の担保供託は、担保を立てるべきことを命じた裁判所の所在地を管轄する地方裁判所の管轄区域内の供託所にしなければならない（民訴76本文）。

○ **022**

裁判上の担保供託は、担保を立てるべきことを命じた裁判所の所在地を管轄する地方裁判所の管轄区域内のいずれの供託所にもすることができる（民訴76、民執15Ⅰ、民保4Ⅰ）。

023 □□□ 平19-11-ア

民事保全法の保全命令に係る担保供託は、債務者の住所地の供託所に供託しなければならない。

024 □□□ 令3-9-ア

譲渡制限株式を取得した者からの譲渡の承認の請求に対して、株式会社が譲渡を承認せず対象株式を買い取る旨の通知をしようとするときの供託は、その株式会社の本店の所在地の供託所にしなければならない。

025 □□□ 令3-9-オ（平8-9-エ、平28-9-ウ）

衆議院小選挙区選出議員の選挙の候補者の届出をするためにする選挙供託は、候補者の選挙区又はその最寄りの供託所にしなければならない。

026 □□□ 平8-9-オ

供託の管轄が定められている供託の場合において、管轄外の供託所に供託の申請がされたときは、供託官は、これを却下しなければならない。

× **023**

保全命令の担保として供託をする場合、その供託場所は、担保を立てることを命じた裁判所又は保全執行裁判所の所在地を管轄する地方裁判所の管轄区域内の供託所が原則である（民保４Ⅰ）。また、裁判所の許可を得て、債権者の住所地又は事務所の所在地その他裁判所が相当と認める地を管轄する地方裁判所の管轄区域内の供託所にも供託することができる（民保14Ⅱ）。しかし、「債務者の住所地」の供託所に供託しなければならないという規定はない。

○ **024**

株式会社は、譲渡制限株式を取得した者からの譲渡の承認の請求に対して、株式会社が譲渡を承認せず対象株式を買い取る旨の通知をしようとするときの供託は、その株式会社の本店の所在地の供託所にしなければならない（会社141Ⅱ・Ⅰ参照）。

× **025**

選挙供託には、供託根拠法令上管轄の定めはないので、立候補しようとする地を管轄する供託所に限られず、原則として全国どこの供託所にでも供託をすることができる。

○ **026**

管轄外の供託所にされた供託の申請は、供託官によって却下される（供託規21の7）。

027 □□□ 平28-9-オ

管轄外の供託所にされた弁済供託が誤って受理された場合には、当該弁済供託は無効であり、たとえ被供託者が当該弁済供託を受諾したとしても、当該弁済供託を有効なものとして取り扱うことはできない。

× 027

債務履行地でない供託所にされた弁済供託が誤って受理された場合であっても、供託者が錯誤を理由とする供託物の取戻しをする前に、被供託者が供託を受諾するか又は還付請求をした場合は、当該管轄違背の瑕疵は治癒され、有効な供託とみなされることとなる（昭39.7.20民甲2594号）。

❸ 供託当事者

028 □□□ 平元-13-1

権利能力のない社団で、代表者又は管理人の定めがあるものは、供託の当事者となることができる。

029 □□□ 平元-13-4

営業の許可を受けた未成年者は、その営業に関して自ら供託することができる。

030 □□□ 平4-11-ア（平元-13-3、平10-9-オ、平21-9-イ）

弁済供託においては、債務者以外の第三者が供託者となることはできない。

031 □□□ 令3-10-エ

借地上の建物の賃借人は、借地人（建物の賃貸人）に代わって当該借地の地代を弁済供託することはできない。

032 □□□ 平27-9-ア

契約の当事者以外の第三者は、当事者がその弁済について反対の意思を表示した場合には、自ら弁済供託をすることができない。

○ **028**

権利能力のない社団であっても、代表者又は管理人の定めがあるものについては、供託当事者能力が認められている（供託規14Ⅲ参照）。

○ **029**

未成年者が営業の許可を受けている場合には、その営業に関する事項については供託行為能力を有するので（民６Ⅰ）、その営業に関して、自ら有効に供託することができる。

× **030**

弁済供託においては、供託者となるべき者は原則的には弁済をすべき債務者であるが、第三者も、債務者のために弁済(第三者弁済)ができる範囲では、供託者となることができる（民474・499）。

× **031**

弁済供託においては、供託者となるべき者は原則的には弁済をすべき本来の債務者であるが、第三者もまた債務者のために弁済を行うことができる範囲では供託者となることができる。この点、借地上の建物の賃借人はその敷地の地代の弁済について正当な利益を有する（最判昭63.7.1）。

○ **032**

弁済供託においては、債務者以外の第三者であっても、債務者に代わって弁済をすることができる限度（民474·499）において、当事者適格を有する。しかし、当事者がその弁済について反対の意思を表示した場合には、第三者は弁済することができない（民474Ⅳ）。

033 □□□ 平13-8-3（平27-9-ウ）

弁済供託の被供託者は、供託の当事者として供託の成立の時に具体的に確定している必要があるので、被供託者が確定していない場合には、弁済供託をすることができない。

034 □□□ 平4-11-イ（平10-9-ア、平13-8-5、平20-10-オ、平25-10-イ、平30-11-ウ）

営業保証供託においては、営業をしようとする者以外の第三者が供託者となることはできない。

035 □□□ 平10-9-ウ（平4-11-ウ、平13-8-2、平19-11-ウ、平22-10-ア）

裁判上の保証供託においては、当事者以外の第三者が供託者となることができる。

036 □□□ 平27-9-エ

当事者以外の第三者は、相手方の同意がない場合には、裁判上の保証供託をすることができない。

× **033**

弁済供託においては、供託の当事者として被供託者が供託の成立の時に具体的に確定しているのが原則である。しかし、債権者が死亡しその相続人が誰であるか不明である場合（昭37.7.9民甲1909号）や、賃貸人の死亡により相続が開始し相続人がその妻と子であることが判明しているときに子が何人いるかが明らかでない場合（昭41.12.8民甲3325号）であっても、債権者不確知（民494Ⅱ）を理由として供託することができる。

○ **034**

営業保証供託については、営業者の信用を社会的に保証するという目的があるので、第三者が営業者に代わって供託することは許されない（昭38.5.27民甲1569号、昭39全国供託課長会同決議）。

○ **035**

裁判上の保証供託は、裁判所の立担保命令（民訴75）によって担保提供を命じられた当事者が供託者となるのが原則であるが、第三者も本人に代わって供託することができる（大判大2.1.30）。

× **036**

裁判上の保証供託においては、法令又は裁判所等の命令により担保提供を命じられた者が供託者となるのが原則であるが、第三者も本人に代わって供託することができるものとされている（大判大2.1.30、昭18.8.13民甲511号）。そして、第三者が裁判上の保証供託をする場合、第三者が供託する旨を供託書に記載すれば足り、相手方の同意は要しない（昭35全国供託課長会同決議）。

供託法

第2編

弁済供託

1 弁済供託の受理要件

001 □□□ 平16-9-エ

質権の目的となっている金銭債権の弁済期が、質権者の債務者に対する債権の弁済期より前に到来したときは、質権者は、第三債務者に弁済金額の供託をさせることができる。

002 □□□ 平16-9-オ（平20-9-イ）

振替国債の譲渡を債務の内容とする場合において、債権者が振替国債の振替を受けるための口座を開設しないため弁済することができないときは、債務者は、当該振替国債を供託することができる。

003 □□□ 平21-9-オ

弁済供託は、被供託者が確定していない場合には、することができない。

004 □□□ 令2-10-イ

受領拒絶を原因とする弁済供託をする場合には、供託者は、供託官に対し、被供託者に供託通知書を発送することを請求しなければならない。

○ **001**

質権の目的となっている金銭債権の弁済期が、質権者の債権の弁済期前に到来したときは、質権者は第三債務者に対してその弁済金額を供託させることができる（民366Ⅲ）。

× **002**

振替国債は、法令の規定により担保もしくは保証として、又は公職選挙法の規定による場合に限り供託することができ、弁済供託の場合には認められていない（社債株式振替278Ⅰ）。

× **003**

弁済供託においては、供託の当事者として被供託者が具体的に確定しているのが原則であるが、債権の帰属に争いがあり、裁判によらなければ債権者を確定することができないような場合には、債権者不確知（民494Ⅱ）を供託原因として弁済供託をすることができる。

× **004**

民法494条の規定により弁済供託がされた場合、供託者は、遅滞なく被供託者に供託の通知をしなければならない（民495Ⅲ）。そして、この場合、供託者は供託官に対して、被供託者に供託通知書を発送することを請求することができるが（供託規16Ⅰ前段）、義務ではない。

❷ 供託原因ごとの検討

受領拒否

005 □□□ 平14-8-4（平24-10-イ）

毎月末に支払うべき地代又は家賃について過去の数か月分をまとめて提供したがその受領を拒否されたとして供託するには、各月分についてその支払日から提供日までの遅延損害金を付して提供したことが必要である。

006 □□□ 平2-13-4（令3-10-ア）

家屋の賃貸借契約中に、ガス、水道等の使用料金を家賃に含めて支払う特約がある場合において、これを家賃に含めて提供したがその受領を拒絶されたときは、賃借人は、これと家賃との合計額を供託することができる。

007 □□□ 平3-12-2（平21-9-エ、平25-9-ウ）

毎月末日までに当月分の家賃を支払う旨の約定のある場合には、賃借人は当該月に入ればいつでも賃貸人に弁済の提供をし、その受領を拒否されたときは、受領拒否を供託原因として供託をすることができる。

008 □□□ 平3-12-5（平19-9-ア）

家賃の減額請求権を行使した賃借人が相当と認める額に減じた家賃を賃貸人に提供し、その受領を拒否された場合には、受領拒否を供託原因とする供託をすることはできない。

○ **005**

家賃の弁済期経過後に遅延損害金を提供しないで家賃のみを提供して受領を拒否された場合には、供託できない（昭38.5.18民甲1505号）。賃料債務は、各月ごとの別個独立の債務であるから、数か月分の地代又は家賃に、各月ごとに支払日から提供日までの遅延損害金を付して提供する必要があるからである。

○ **006**

特約によりガス、水道等の使用料金を家賃に含めて支払う場合には、これら数個の債務を履行しなければ債務の本旨に従った提供（民493本文）をしたことにはならない。したがって、本肢の場合、これら全額を供託することができる。

○ **007**

毎月末日までに当月分の家賃を支払う旨の約定のある場合には、賃借人はその月の1日から末日までの間いつでも適法な弁済の提供をすることができ、その受領を拒否されたときは、受領拒否（民494Ⅰ①）を原因として弁済供託をすることができる。

○ **008**

賃借人が減額請求した場合、賃貸人が相当と認める額、すなわち減額請求後の額以上で減額請求前の額以下の額で賃貸人が請求した額を供託することができるのであって、賃借人が相当と認める額に減じた家賃を賃貸人に対し提供しても、受領拒否（民494Ⅰ①）を供託原因として供託することはできない（昭46全国供託課長会同決議）。

009 □□□ 平28-11-エ（平5-10-2、平20-9-オ、平24-10-オ）

建物の賃貸借における賃借人は、賃貸人が死亡しその共同相続人二人がその地位を承継した場合において、賃貸人の死亡後に発生した賃料全額を当該共同相続人のうちの一人に提供し、その受領を拒まれたとしても、賃料全額について、受領拒絶を原因とする弁済供託をすることはできない。

010 □□□ 平5-10-5（平2-13-3、平25-9-エ、令2-10-ウ）

家賃の増額請求につき当事者間の協議が調わない場合において、借主は、従前の額を相当と考えその額を提供したところ、貸主が受領を拒否したときは、借主は、その額を供託することができる。

011 □□□ 平3-12-4

公営住宅の家賃が値上げされた場合であっても、賃借人は、従前の家賃を提供し、その受領を拒否されたときは、受領拒否を供託原因として供託をすることができる。

012 □□□ 平6-10-1（平21-9-ア、平28-11-ウ）

賃借人から賃料の提供を受けた賃貸人が、その受取証書を交付しないときは、賃借人は受領拒否を供託原因として供託することができる。

○ **009**

賃貸人の死亡により数人の相続人がその地位を承継した場合において、賃借人が相続人の一人に賃料を提供し、その相続人が受領を拒否したときであっても、賃借人は、賃料全額を供託することはできない（昭36.4.4民甲808号）。

○ **010**

地代・家賃の増額について当事者間の協議が調わない場合には、貸借人は増額を正当とする裁判が確定するまでは、自己が相当と認める金額を支払えば足り（借地借家11Ⅱ・32Ⅱ）、これを拒否された場合、弁済供託をすることができる（昭41.7.12民甲1860号）。

○ **011**

公営住宅の賃借人が従前の家賃を提供して受領を拒否された場合には、弁済供託が認められている（昭51.8.2民四4344号、大阪高判昭45.1.29）。

○ **012**

債権者が弁済と同時履行の関係にある受取証書の交付（民486）をしないということは、弁済の受領を拒否したものとみなすことができる。したがって、本肢の場合、賃借人は受領拒否（民494Ⅰ①）を原因として、弁済供託をすることができる（昭39.3.28民甲773号）。

013 □□□ 平17-11-ウ

売買契約を解除するため、売主が契約の際に受領した手付金の倍額を現実に提供した場合において、買主の受領拒絶を原因として弁済供託をするときは、売主は、供託の日までの遅延損害金を加えることなく供託することができる。

014 □□□ 平17-11-オ

利息制限法の規定に違反する割合による遅延損害金が定められている金銭消費貸借契約に基づく債務について、弁済期を経過した後に弁済供託をする場合には、債務者は、弁済期から供託の日までの間の利息制限法所定の割合による遅延損害金を加えて供託しなければならない。

015 □□□ 平19-9-ウ（平5-10-1、平17-11-イ、令2-10-オ）

毎月末日に支払うべき家賃につき、賃借人が毎月各支払日に当月分の家賃を提供したが、数か月にわたり賃貸人がその受領を拒否しているときは、賃借人は、その数か月分の家賃を遅延損害金を付すことなく一括して供託することができる。

016 □□□ 平24-10-ウ

建物の賃借人は、台風で破損した当該建物の屋根の一部の修理を賃貸人から拒まれたため自己の費用で修理をした場合において、賃貸人に賃料と当該修理代金とを相殺する旨の意思表示をした上、相殺後の残額を提供して賃貸人からその受領を拒まれたときは、相殺後の残額を供託することができる。

○ **013**

売主が売買契約を締結する際に、手付金を受領し、買主が履行に着手する前に売主から契約を解除する場合に、手付金の倍額を提供して受領を拒否された場合には、手付金の受領時からの利息を付すことなく弁済供託をすることができる（昭41.7.5民甲1749号）。

○ **014**

利息制限法の定める利率を超える利息・遅延損害金を付加した弁済の提供に対し、債権者が受領を拒否した場合は、債務者は当該利息と遅延損害金を含めて供託することはできず（昭38.1.21民甲45号）、弁済期から供託の日までの間の利息制限法所定の範囲内（利息1）の遅延損害金を付して供託しなければならない。

○ **015**

賃借人が賃貸人に対して各月の賃料を各支払日に、債務の本旨に従った弁済の提供をしたにもかかわらず、賃貸人が受領を拒否している場合には、遅延損害金を付すことなく、受領拒否を供託原因として、過去の数か月分の賃料をまとめて一括供託することができる（昭36.4.8民甲第816号）。

○ **016**

賃借人が賃貸人の負担に属する必要費を支出したときは、直ちにその償還を請求することができる(民608Ⅰ)。この点、賃借人は、自己の支出した修繕費と賃料とを相殺し、相殺後の残額を提供して賃貸人からその受領を拒否された場合は、相殺後の残額を供託できる（昭40.3.25民事甲636号）。

017 □□□ 平28-11-イ（平2-13-5、平5-10-4、平17-11-ア、平19-9-イ）

不法行為の加害者は、自ら算定した損害賠償額と不法行為発生時から提供日までの遅延損害金の合計額を被害者に提供した場合において、被害者がその受領を拒んだときは、受領拒絶を原因とする弁済供託をすることができる。

018 □□□ 平11-10-4（平21-9-ウ）

不法行為に基づく損害賠償債務については、賠償額に争いがある場合には弁済供託をすることができない。

受領不能

019 □□□ 平28-11-ア（平22-9-3、令2-10-ア）

持参債務の債務者は、弁済期日に弁済をしようとして、債権者の住居に電話で在宅の有無を問い合わせた場合において、債権者以外の家人から、債権者が不在であるため受領することができない旨の回答があっただけでは、受領不能を原因とする弁済供託をすることはできない。

020 □□□ 令3-10-ウ

売買代金債務が持参債務である場合において、債権者が未成年者であって法定代理人を欠くときは、債務者は、受領不能を原因として弁済供託をすることができる。

○ **017**

不法行為の加害者は、自己の算定する賠償額に不法行為の日から提供の日までの遅延損害金を付した金銭を被害者に提供し（昭55.6.9民四3273号）、受領を拒まれたときは、受領拒絶を原因とする弁済供託をすることができる（昭32.4.15民甲710号）。

× **018**

不法行為に基づく損害賠償債務は、賠償額に争いがある場合でも、民法494条の要件を満たす限り、弁済供託をすることができる（昭32.4.15民甲710号）。

× **019**

持参債務の債務者が弁済期日に電話で債権者の在否を問い合わせたところ、家人から債権者は不在で受領できない旨の返答があった場合のような債権者の一時的不在も、受領不能に該当し、債務者は、事実上の受領不能を理由として弁済供託をすることができる（大判昭9.7.17）。

○ **020**

弁済を受領することにより、その債権を失うこととなるため、未成年者は、法定代理人の同意を得ずに弁済を受領することはできない（民５Ⅰ本文参照）。そのため、未成年者である債権者に法定代理人がいない場合は、弁済の受領をすることができないことから、債務者は、受領不能を原因として供託をすることができる。

債権者不確知

021 □□□　平14-9-ア（平19-9-エ、平22-9-4、平26-10-エ）

債権者Ａが死亡し、相続が開始した場合でも、戸籍を調査することにより、亡Ａの相続人が誰であるかを確定することができるから、債務者は、「亡Ａの相続人」を被供託者として債権者不確知供託をすることはできない。

022 □□□　平3-12-3（平20-9-ア、平22-9-5、平26-10-ウ、平30-10-1）

確定日付のある２通の債権譲渡通知が同時に送達された場合には、債務者は、債権者不確知を供託原因とする供託をすることができない。

023 □□□　平14-9-イ（平22-9-1）

債権者がその債権をＡ及びＢに二重に譲渡し、そのそれぞれについて確定日付ある譲渡通知が債務者に到達したが、その先後関係が不明である場合には、譲渡通知は同時に到達したものとして取り扱われるから、債務者は、「Ａ又はＢ」を被供託者として債権者不確知供託をすることはできない。

024 □□□　平6-10-2（平30-10-3）

賃貸人の死亡により相続が開始した場合において、相続人がその妻と子であることが判明しているときは、子が何人いるか明らかでない場合であっても、賃借人は、債権者不確知を供託原因として供託することはできない。

× **021**

債権者が死亡し相続が開始した場合、戸籍を調査するなど相続の有無を調査することなく、債務者は、債権者不確知（民494Ⅱ）を事由として供託することができる（昭38.2.4民甲351号）。この場合、供託書の被供託者の表示を「住所亡Aの相続人」とすることができる（昭38.2.4民甲351号）。

○ **022**

確定日付のある債権譲渡の通知が同時に送達された場合に、債務者は任意にどちらかの債権者に対して弁済すれば足りるため、債権者不確知（民494Ⅱ）を理由として供託することはできない（昭59全国供託課長会同決議）。

× **023**

債権が二重に譲渡され、確定日付ある債権譲渡通知の到達の先後関係が不明であるときは、どちらの債権者が優先するのか明らかではないため、債務者は、債権者不確知を原因とする供託をすることができる（平5.5.18民四3841号）。

× **024**

賃貸人が死亡したが相続人が誰であるか事実上知ることができない場合（昭37.7.9民甲1909号）、又は、相続人の一部について判明しない場合（昭41.12.8民甲3325号）には、債権者不確知（民494Ⅱ）を供託原因として供託することができる。

025 □□□ 平6-10-3（令3-10-オ）

婚姻中にされた妻名義の銀行預金について、離婚後、夫であった者が預金証書を所持し、妻であった者が印鑑を所持して互いに自らが預金者であることを主張して、現に係争中である場合であっても、銀行は、債権者不確知を供託原因として供託することはできない。

026 □□□ 平14-9-ウ

供託物を受け取る権利を有しない者を被供託者としてされた供託は無効であるから、「A又はB」を被供託者として債権者不確知供託がされた場合において、Bが還付請求権を有しないときは、当該供託は、全体として無効となる。

027 □□□ 平26-10-ア

持参債務について被供託者をA又はBとして債権者不確知を原因とする弁済供託をする場合において、Aの住所地の供託所とBの住所地の供託所とが異なるときは、いずれの供託所にも供託をすることができる。

028 □□□ 令2-10-エ

建物の賃貸人が死亡した場合において、賃借人が持参債務である賃料につき債権者不確知を原因として弁済供託をしようとするときは、当該建物の所在地の最寄りの供託所に供託をすることができる。

× **025**

妻名義の銀行預金について、当該夫婦の離婚後、一方は印鑑のみを、他方は預金証書のみをそれぞれ所持し、互いに自己が預金者であることを主張して係争中である場合には、銀行は債権者不確知（民494Ⅱ）を供託原因として供託をすることができる（昭40.5.27民甲1069号）。

× **026**

債権者不確知供託は、供託物還付請求権を有する者が複数の者の中のいずれであるかを確知することができないときにすることができるものであるから、被供託者の中に還付請求権を有する者が含まれている以上、それらの中に権利義務の帰属主体とならない者が含まれていたとしても、弁済供託は無効とはならない（最判平6.3.10）。

○ **027**

債権者不確知の弁済供託（民494Ⅱ）のように、債権者が複数であって、各債権者の住所地が異なり、かつ持参債務であるときは、いずれか一人の債権者の住所地の管轄供託所に供託することができる（昭38.6.22民甲1794号）。

× **028**

弁済供託は、債務履行地の供託所にしなければならない（民495Ⅰ）。この点、賃料の持参債務の場合の債務履行地は、債権者の現在の住所である（民484Ⅰ）。

債権者の不受領意思明確

029 □□□ 平11-10-1

賃貸借契約における賃料債務について、賃貸人があらかじめ賃料の受領を拒否する旨を明らかにしている場合でも、その履行期が到来するまでは賃料の弁済供託をすることはできない。

030 □□□ 平20-9-エ（令3-10-イ）

借家人が家主から明渡請求を受け、目下係争中であるため、当該家主において家賃を受領しないことが明らかであるときは、当該借家人は、毎月末日の家賃支払日前にその月分の家賃につき弁済供託をすることができる。

031 □□□ 平19-9-オ（平24-10-ア）

賃貸人が賃料の増額請求をした場合において、あらかじめ賃貸人が賃借人の提供する賃料の受領を拒否し、現に係争中であるときは、賃借人は、現実の提供及び口頭の提供をすることなく、従来からの賃料の額を供託することができる。

032 □□□ 平30-10-4

建物賃貸借契約の賃借人が賃貸人から建物明渡請求訴訟を提起されるとともに、今後は賃料を受領しない旨をあらかじめ告げられた場合には、賃借人は、その後に弁済期の到来した賃料について、現実の提供又は口頭の提供をすることなく供託をすることができる。

○ **029**

賃料先払特約のない場合には、将来発生する賃料を受領拒否（民494Ⅰ①）を理由に供託することはできない（昭24.10.20民甲2449号参照）。

× **030**

賃料先払契約のない場合には、家主において家賃を受領しないことが明らかであったとしても、将来発生する賃料を受領拒否（民494Ⅰ①）を理由に供託することはできない（昭24.10.20民甲2449号）。

○ **031**

債権者が受領する意思が全くない場合（例えば、賃借物の明渡訴訟が提起されているときや、当事者間で明渡しに関し係争中であるとき）には、債務者は弁済の提供をすることなく、直ちに供託することができる（昭37.5.31民甲1485号）。

○ **032**

債権者の受領しない意思が明確であるような場合においては、口頭の提供をしないで直ちに供託することができる。この点、建物の明渡請求があった場合において、あらかじめ賃貸人から賃料の受領を拒否され、目下係争中であるようなときは、債権者の受領しない意思が明確といえる（昭37.5.31民甲1485号）。

供託法

第3編

供託手続

1 供託申請手続

申請手続の概要

001 □□□ 平23-9-オ

供託所に供託書と共に有価証券を提出することにより、有価証券を納入することができる。

002 □□□ 平16-9-ア

供託官が、金融機関に供託金の振込みを受けることができる預金口座を開設しているときは、供託者は、当該預金口座に供託金を振り込む方法により供託することができる。

003 □□□ 平18-11-エ（平23-9-イ）

金銭の供託をしようとする者は、インターネットを利用した供託申請以外の場合であっても、申出により、供託官の告知した納付情報により供託金の納付をすることができる。

004 □□□ 平21-11-ア（平23-9-ア、令2-9-ア）

金銭、有価証券又は振替国債の供託は、郵送又は電子情報処理組織を使用する方法により、することができる。

× **001**

有価証券を供託物として供託する場合、供託者は、供託官から交付された供託有価証券寄託書（供託規18Ⅰ参照）に供託物である有価証券を添えて、日本銀行の本店、支店又はその代理店に一定の期日までに納入する。

○ **002**

供託官は、銀行その他の金融機関に供託金の振込みを受けることができる預金があるときは、当該預金に供託金の振込みを受けることができる（供託規20の2Ⅰ）。

○ **003**

供託金の提出方法として電子納付がある（供託規20の3Ⅰ）。供託金の電子納付は、書面又はオンラインによる供託にかかわりなく利用することができる（登研687-150）。

× **004**

金銭、有価証券又は振替国債の供託は、郵送によってすることができる（大11.6.24民事2367号等）。また、電子情報処理組織を使用する方法により、金銭又は振替国債の供託をすることはできるが、有価証券の供託をすることはできない（供託規38Ⅰ①参照）。

005 □□□ 平28-10-ア

金銭又は振替国債の供託は電子情報処理組織を使用してすることができるが、供託金、供託金利息又は供託振替国債の払渡しの請求は電子情報処理組織を使用してすることはできない。なお、供託をしようとする者が国である場合を考慮しないものとする。

006 □□□ 平21-11-イ

供託者が振替国債を供託しようとするときは、その振替国債の銘柄、利息の支払期及び償還期限を確認するために必要な資料を提供しなければならない。

007 □□□ 平21-11-ウ

賃料、給料その他の継続的給付に係る金銭の供託をするために供託書を提出する者は、供託カードの交付の申出をしなければならない。

008 □□□ 平30-9-ウ

継続的給付に係る金銭の供託をするために供託カードの交付を受けた者が、当該供託カードを提示して、当該継続的給付について供託をしようとするときは、供託書（ＯＣＲ用）に記載する供託の原因たる事実については、当該供託カードの交付の申出をした際に供託書に記載した事項と同一でない事項のみを記載すれば足りる。

× **005**

電子情報処理組織による供託は、金銭又は振替国債につき認められており（供託規38Ⅰ①）、また、供託金、供託金利息又は供託振替国債は、電子情報処理組織による払渡請求をすることができる（供託規38Ⅰ②）。

○ **006**

供託者が振替国債を供託しようとするときは、その振替国債の銘柄、利息の支払期及び償還期限を確認するために必要な資料を提供しなければならない（供託規14の2）。

× **007**

賃料、給料その他の継続的給付に係る金銭の供託をするために供託書を提出する者は、供託カードの交付の申出をすることができる（供託規13の4Ⅰ本文）のであって、義務ではない。

○ **008**

供託カードの交付を受けた者が、当該供託カードを提示して、当該継続的給付について供託をしようとするときは、供託書の供託の原因たる事実について、供託カードの交付の申出をした際に供託書に記載した事項と同一でない事項を記載すれば足りる（供託規13の4Ⅳ④）。

009 □□□ 平28-10-エ

電子情報処理組織によって金銭の供託をする場合には、供託者は、供託官の告知した納付情報により供託金を納付しなければならない。なお、供託をしようとする者が国である場合を考慮しないものとする。

010 □□□ 令2-9-エ

電子情報処理組織により金銭の供託をしようとする者は、供託金の納入方法について、供託所に金銭を提出する方法、日本銀行に納入する方法、供託官が開設する預金口座へ振り込む方法又は供託官が告知する納付情報により納付する方法のいずれかを選択し、供託官に申し出なければならない。

011 □□□ 令2-9-オ（平28-10-オ）

電子情報処理組織により金銭の供託をする供託者は、供託書正本に係る電磁的記録の提供を求める場合、既に書面による交付を受けているときを除き、供託官に対し、当該電磁的記録に記録された事項を記載して供託官が記名押印した書面の交付を請求することができる。

供託書

012 □□□ 平12-8-1

供託の申請は、法令に定める事項を記載した書面によりしなければならないが、その様式は、適宜なもので足りる。

○ **009**

電子情報処理組織による金銭の供託を国以外がする場合においては、供託規則20条の３第１項に規定する、供託官の告知した納付情報により供託金の納付をする旨（電子納付）の申出があったものとされる（供託規40Ⅰ後段）。したがって、本肢の場合には、供託者は、供託官の告知した納付情報により供託金を納付しなければならない。

× **010**

電子情報処理組織による金銭の供託においては、供託規則20条の３第１項に規定する、供託官の告知した納付情報により供託金の納付をする旨（電子納付）の申出があったものとされる（供託規40Ⅰ後段）。

○ **011**

電子情報処理組織による供託をした供託者は、供託規則40条２項の規定により供託書正本に係る電磁的記録の提供を求めたときは、供託官に対し、当該電磁的記録に記録された事項を記載して供託官が記名押印した書面の交付を請求することができる（供託規42Ⅰ本文）。なお、供託者が既に当該書面の交付を受けているときは、当該請求をすることはできない（供託規42Ⅰ但書）。

× **012**

供託書の記載事項及びその様式は法定されている（供託規13Ⅰ・Ⅱ）。

013 □□□ 平7-11-ウ（平12-8-2、平21-11-エ、平30-9-ア）

供託書に記載した供託金額は、削除した金額の記載がなお読み得るように二線を引いて記載を削除し、その近接箇所に正書して、その字数を欄外に記載し、押印して訂正することができる。

014 □□□ 平7-11-イ（平18-11-ア）

供託書には、供託者又はその代表者若しくは管理人若しくは代理人が記名押印しなければならない。

015 □□□ 平2-11-1（平30-9-イ）

供託者が法人であるときは、その名称、主たる事務所及び代表者の氏名を記載しなければならない。

016 □□□ 令4-9-オ

被供託者が法人であるときは、供託書の被供託者の住所氏名欄には、その名称、主たる事務所だけでなく、代表者の氏名をも記載しなければならない。

017 □□□ 平2-11-5

供託により抵当権が消滅するときは、その抵当権の表示を記載しなければならない。

× **013**

供託書の記載事項のうち、供託金額についての訂正は認められていない（供託規6Ⅵ）。

× **014**

供託書への押印を要求する規定は存在しない（供託規13Ⅱ参照）。

○ **015**

供託者が法人である場合においては、供託書にその名称、主たる事務所及び代表者の氏名を記載しなければならない（供託規13Ⅱ①）。

× **016**

弁済供託において金銭を供託する場合、供託物の還付を請求することができる者（被供託者）が特定できるときで、その者が法人であるときは、その名称及び主たる事務所を供託書に記載しなければならない（供託規13Ⅱ⑥参照）。

○ **017**

弁済供託の場合において、その供託によって、質権・抵当権が消滅するときは、その消滅させる担保物権が具体的に特定できるように、その質権又は抵当権の表示を供託書に記載しなければならない（供託規13Ⅱ⑦）。

018 □□□ 平23-11-ウ

AがBに対して有する100万円の金銭債権（甲債権）につき、Aの債権者Cから強制執行による差押え（差押金額100万円）がされた場合において、Bが甲債権の全額に相当する100万円を供託するときは、Bは、供託書にAを被供託者として記載しなければならない。

提示・添付書類

019 □□□ 平4-14-1（平12-8-3）

登記された法人が供託する場合には、代表者の資格を証する登記事項証明書を添付しなければならない。

020 □□□ 平8-10-ア

法人が供託の申請をする場合は、その代表者についての市町村長の作成に係る印鑑証明書を添付しなければならない。

021 □□□ 平18-11-イ

登記された法人を被供託者として供託しようとするときは、当該法人につき代表者の資格を証する登記事項証明書であって、その作成後３か月以内のものを添付しなければならない。

× **018**

権利供託（民執156Ｉ）には、①金銭債権の全額の差押えを受けて全額供託する場合又はその一部の差押えを受けて当該差押金額のみを供託する場合と、②債権の一部の差押えを受けて全額を供託する場合がある。①の場合には供託書の被供託者欄の記載は不要であるが、②の場合には、差押金額を超えた部分は弁済供託の性質を有することから、執行債務者を「被供託者」として供託書に記載する必要がある。

× **019**

登記された法人が供託する場合には、代表者の資格を証する登記事項証明書を「提示」すれば足りる（供託規14Ｉ前段）。

× **020**

法人が供託をする場合には、印鑑証明書の添付は要求されていない。

× **021**

登記された法人が被供託者となる場合に当該法人の代表者の資格を証する登記事項証明書の添付を要求する規定は存在しない。

022 □□□ 平18-11-ウ（平4-14-3、平12-8-5）

代理人によって供託しようとする場合には、代理人の権限を証する書面を供託官に提示しなければならない。なお、登記官の確認を受けた供託書を提出してする場合については、考慮しないものとする。

023 □□□ 平7-11-エ（平21-11-オ、平30-9-オ）

同一の供託所に対して同時に数個の供託をする場合において、供託書の添付書類に内容が同一のものがあるときは、そのうち1個の供託書に1通のみを添付すれば足りる。

024 □□□ 平28-10-ウ（令2-9-イ）

登記された法人が電子情報処理組織による供託をしようとする場合において、その申請情報に当該法人の代表者が電子署名を行い、かつ、当該代表者に係る電子認証登記所の登記官の電子証明書を当該申請情報と併せて送信したときは、当該代表者の資格を証する登記事項証明書を提示することを要しない。なお、供託をしようとする者が国である場合を考慮しないものとする。

供託通知

025 □□□ 平元-11-3（平7-11-オ、平18-11-オ、平25-9-オ）

供託者が被供託者に供託の通知をしなければならない場合には、供託者自ら供託通知書を発送しなければならない。

○ **022**

代理人によって供託しようとする場合には、代理人の権限を証する書面を提示しなければならない（供託規14Ⅳ前段）。

○ **023**

同一の供託所に対して同時に数個の供託をする場合において、供託書の添付書類に内容の同一のものがあるときは、１個の供託書に１通を添付すれば足りる。この場合には、他の供託書にその旨の記載を要する（供託規15）。

○ **024**

登記された法人が電子情報処理組織による供託の申請をする場合において、その申請情報に当該法人の代表者が電子署名を行い、かつ、当該代表者に係る電子証明書を当該申請書情報と併せて送信したときは、当該代表者の資格を証する登記事項証明書を提示することを要しない（供託規39の２Ⅰ）。

× **025**

供託通知書は、供託者自ら被供託者に発送するか、供託所に発送請求をするかの選択ができる（供託規16Ⅰ）。

② 供託物払渡手続

供託物払渡手続の概略

026 □□□ 平26-9-エ（令5-9-イ）

供託金払渡請求書に記載した供託金額については、訂正、加入又は削除をすることができない。

027 □□□ 平24-9-ウ（平29-9-オ）

供託物が有価証券である場合には、供託物の払渡請求者は、供託物払渡請求書２通を提出しなければならない。

028 □□□ 平20-11-オ

供託物が振替国債である場合における払渡請求にあっては、請求者は、供託物払渡請求書２通を提出しなければならない。

029 □□□ 平14-10-3

金銭供託の払渡しの場合における供託金の交付は、日本銀行あての記名式持参人払の小切手を払渡請求者に交付する方法によるほか、請求者が払渡請求書に記載して希望するときは、払渡請求者の預貯金に振り込む方法によることもできる。

× 026

訂正等が許されないのは、供託書、供託通知書、代供託請求書、附属供託請求書、供託有価証券払渡請求書又は供託有価証券利札請求書に記載した供託金額、有価証券の枚数及び総額面又は請求利札の枚数であり、供託金払渡請求書の供託金額については、訂正等が認められている（供託規6Ⅵ参照）。

○ 027

供託物が有価証券又は振替国債であるときは、供託物払渡請求者は、供託物払渡請求書2通を提出しなければならない（供託規22Ⅰ括弧書）。

○ 028

供託物が有価証券又は振替国債であるときは、供託物の払渡請求者は、供託物払渡請求書2通を提出しなければならない（供託規22Ⅰ括弧書）。

○ 029

金銭供託の払渡しの供託金の交付は、日本銀行宛ての記名式持参人払いの小切手を払渡請求者に交付する方法によるのが通常であるが（供託規28Ⅰ）、請求者が払渡請求書に記載して希望するときは、日本銀行が指定した金融機関の店舗における当該請求者の預貯金に直接振り込む方法により供託金を支払うことができる（供託規22Ⅱ⑤・28Ⅱ）。

030 □□□ 平26-9-イ（平31-10-オ、令5-9-オ）

電子情報処理組織を使用して供託金の払渡請求をする場合には、日本銀行宛ての記名式持参人払の小切手の交付を受ける方法、預貯金振込みの方法又は国庫金振替の方法のいずれの方法によっても、払渡しを受けることができる。

031 □□□ 平17-10-ウ

供託官が供託物払渡請求書に払渡しを認可する旨の記載をした後においては、請求者への小切手の交付前に当該払渡請求権に対して差押えがあった場合でも、当該請求者は払渡しを受けることができる。

032 □□□ 平8-10-オ（平4-14-4）

委任による代理人によって供託物の払渡しを請求しようとする場合は、委任による代理人の権限を証する書面に押された印鑑につき市町村長又は登記所の作成した印鑑証明書を添付しなければならない。なお、その印鑑につき、登記官の確認がある場合は、考慮しないものとする。

033 □□□ 平24-9-オ（平29-9-イ、令5-9-ウ）

委任による代理人によって供託物の払渡しを請求する場合には、代理人の権限を証する書面を提示すれば足り、供託物払渡請求書にこれを添付することを要しない。

034 □□□ 平31-10-イ

登記されている支配人が代理人として供託金の払渡請求をする場合には、供託物払渡請求書に代理人の権限を証する書面を添付することを要せず、代理人であることを証する登記事項証明書を提示すれば足りる。

× **030**

電子情報処理組織を使用して供託金又は供託金利息の払渡しの請求をするときは、預貯金振込みの方法又は国庫金振替の方法によらなければならない（供託規43Ⅰ）。

× **031**

請求者へ小切手が交付された後は差押えをすることはできないが、小切手の交付前であれば差押えは可能であり、差押えがされた後はもはや請求者が払渡しを受けることはできない（民執145Ⅰ）。

○ **032**

委任による代理人によって供託物の払渡請求をする場合には、原則として、委任による代理人の権限を証する書面に押された印鑑につき、市町村長又は登記所の作成した印鑑証明書を添付しなければならない（供託規26Ⅰ本文）。

× **033**

代理人によって供託物の払渡しを請求する場合には、代理人の権限を証する書面を供託物払渡請求書に添付しなければならない（供託規27Ⅰ本文）。

○ **034**

代理人によって供託物の払渡しを請求する場合には、代理人の権限を証する書面を供託物払渡請求書に添付しなければならない（供託規27Ⅰ本文）。しかし、支配人その他登記のある代理人が供託物の払渡しを請求する場合には、代理人であることを証する登記事項証明書を提示すれば足りる（供託規27Ⅰ但書）。

供託手続

❷ 供託物払渡手続

035 □□□ 平18-9-ウ（平17-10-エ、平24-9-ア、平29-9-エ）

供託物払渡請求書に利害関係人の承諾書を添付すべき場合には、当該承諾書に押された印鑑に係る印鑑証明書（当該承諾書の作成前3か月以内又は当該承諾書の作成後に作成されたものに限る。）を併せて添付しなければならない。

036 □□□ 平20-11-エ

個人が供託物払渡請求をする場合には、本人確認資料として旅券を提示することにより、市町村長が作成した印鑑証明書の添付に代えることができる。

037 □□□ 平24-9-エ

供託物の払渡請求者が個人である場合において、その者が本人であることを確認することができる運転免許証を提示し、かつ、その写しを添付したときは、供託物払渡請求書に印鑑証明書を添付することを要しない。

038 □□□ 平26-9-オ

供託物払渡請求者が外国人である場合において、その者が本人であることを確認することができる在留カードを提示し、かつ、その写しを添付したときは、供託物払渡請求書に市町村長の作成した印鑑証明書を添付することを要しない。

○ **035**

供託物払渡請求書に利害関係人の承諾書を添付する場合には、当該承諾書に押された印鑑につき市町村長又は登記所の作成した証明書を併せて添付しなければならず、この印鑑証明書は当該承諾書の作成前３か月以内又は当該承諾書の作成後に作成されたものに限られる（供託規24Ⅱ①・25Ⅱ）。

× **036**

旅券には住所の記載がされないため、旅券は供託規則26条３項２号の本人確認資料とはならず、市町村長が作成した印鑑証明書の添付に代えることができない。

○ **037**

個人である供託物払渡請求者が供託物の払渡しを請求する場合に、運転免許証、個人番号カード又は在留カードなどを提示し、かつ、その写しを添付したことにより、その者が本人であると確認できるときは、印鑑証明書を添付することを要しない（供託規26Ⅲ②）。

○ **038**

個人である供託物払渡請求者が供託物の払渡しを請求する場合に、運転免許証、個人番号カード又は在留カードなどを提示し、かつ、その写しを添付したことにより、その者が本人であると確認できるときは、印鑑証明書を添付することを要しない（供託規26Ⅲ②）。

供託物還付手続

039 □□□　平11-11-ア（平19-10-イ）

供託所への供託受諾の意思表示は、書面によってしなければならない。

040 □□□　平25-11-ウ

供託を受諾する旨を記載した書面には、印鑑証明書を添付することを要しない。

041 □□□　平11-11-ウ（平19-10-ウ、平25-11-エ、平31-9-エ）

供託受諾の意思表示は、いつでも撤回することができる。

042 □□□　平19-10-ア（平11-11-オ）

供託金還付請求権の仮差押債権者は、供託受諾の意思表示をすることができる。

043 □□□　平25-11-イ（平31-9-ウ）

被供託者の債権者が債権者代位権を行使することにより供託物の還付請求をすることができる場合には、当該債権者は、債権者代位権の行使として、被供託者に代わって、受諾をすることができる。

○ **039**

供託所への供託受諾の意思表示は、書面によってしなければならない（供託規47）。

○ **040**

弁済供託につき、被供託者が供託を受諾する旨の書面を供託所に提出する場合には、印鑑証明書の添付を要しない（昭和35全国供託課長会同決議）。

× **041**

供託受諾の意思表示は、撤回することができない（昭37.10.22民甲3044号）。

× **042**

供託金還付請求権の仮差押債権者は、供託受諾の意思表示をすることはできない（昭38.2.4民甲351号）。

○ **043**

供託受諾の意思表示を有効になし得る者は、当該弁済供託の還付請求権を行使することができる者である。したがって、還付請求権についての譲受人、差押債権者、転付債権者及び債権者代位権を行使する一般債権者は被供託者に代わって、受諾をすることができる。

044 ☐☐☐ 平27-10-オ（平4-14-5）

登記されている支配人が代理人として供託金の還付を請求する場合には、供託物払渡請求書に代理人の権限を証する書面を添付することを要せず、代理人であることを証する登記事項証明書を提示すれば足りる。

045 ☐☐☐ 平29-9-ウ（令5-10-ウ）

被供託者は、供託官から供託通知書の送付を受けていた場合であっても、当該供託の供託物の還付請求をするに当たっては、供託物払渡請求書に当該供託通知書を添付することを要しない。

046 ☐☐☐ 平31-10-エ（平15-11-5、平26-9-ア）

所有権の移転の登記を反対給付の内容として土地の売買代金が供託されている場合において、供託金の還付請求をするときは、その売買を原因とする所有権の移転の登記がされている当該土地の登記事項証明書をもって、反対給付を履行したことを証する書面とすることができる。

047 ☐☐☐ 平12-9-ア（平18-9-ア）

弁済供託の供託金の還付を請求する場合において、供託物払渡請求書に供託書正本及び供託所の発送した供託通知書を添付したときは、供託物払渡請求書に押された印鑑につき市町村長又は登記所の作成した印鑑証明書を添付する必要はない。

○ **044**

代理人によって供託物の払渡しを請求する場合には、代理人の権限を証する書面を供託物払渡請求書に添付しなければならない（供託規27Ⅰ本文）。しかし、支配人その他登記のある代理人が供託物の払渡しを請求する場合には、代理人であることを証する登記事項証明書を提示すれば足りる（供託規27Ⅰ但書）。

○ **045**

供託物の還付請求の添付書類として供託通知書を添付する旨の規定は存在しない（供託規24参照）。

○ **046**

被供託者が反対給付をしなければ還付請求をすることができない場合には、供託物払渡請求書に供託者が作成した書面又は裁判、公正証書その他公正の書面によりその反対給付があったことを証する書面を添付しなければならない（10、供託規24Ⅰ②）。そして、不動産の所有権移転登記を反対給付の内容（供託規13Ⅱ⑧）とする場合には、当該不動産の登記事項証明書がこれに該当する。

× **047**

供託金の還付を請求する場合においては、供託規則26条1項ただし書又は3項各号に該当する場合を除き、供託物払渡請求書に押された印鑑につき市町村長又は登記所の作成した証明書を添付しなければならない（供託規26）。この場合において、供託物払渡請求書に供託書正本及び供託通知書を添付したときは印鑑証明書の添付を省略することができる旨の規定は存在しない（同条参照）。

048 □□□ 平31-9-オ（平11-10-3、平19-10-オ）

金額に争いのある債権について、債務者が債務の全額に相当するものとして弁済供託をした場合には、債権者は、債権の一部弁済として受領する旨の留保を付して供託を受諾することはできない。

049 □□□ 平20-11-ウ

弁済供託の供託通知書の送付を受けている被供託者が供託物の還付請求をするときは、供託物払渡請求書には、当該供託通知書を添付しなければならない。

050 □□□ 平31-10-ウ（平元-12-4、平5-9-イ、平15-11-3）

債権者不確知を原因とする弁済供託に係る供託金の還付請求をする場合には、供託者の承諾書及び当該承諾書に押された印鑑に係る印鑑証明書をもって、還付を受ける権利を有することを証する書面とすることができる。

051 □□□ 平14-9-オ（平26-10-オ）

被供託者を「A又はB」とする債権者不確知供託については、第三者Cが、A及びBを被告とする訴訟の確定判決の謄本を添付して、Cが当該供託に係る債権の実体上の権利者であることを証明したとしても、Cは、供託物の還付を受けることはできない。

× **048**

金額に争いがある売買代金債権の全額について弁済供託がされたが、当該供託金が債権者の主張する金額に及ばない場合、債権者（被供託者）は、その債権額の一部に充当する旨の留保を付して、供託金の還付請求をすることができる（昭42.1.12民甲175号）。

× **049**

被供託者が弁済供託の供託通知書の送付を受けている場合であっても、当該被供託者が供託物の還付請求をするときには、当該供託通知書を添付する必要はない（供託規24参照）。

× **050**

債権者不確知を原因とする弁済供託において供託物の還付を請求するには、供託物払渡請求書に還付を受ける権利を有することを証する書面を添付しなければならず（供託規24Ⅰ①本文）、他の被供託者の同意書又は確定判決書、和解調書などがこの書面に該当する。しかし、供託者の承諾書及び印鑑証明書をもって還付を受ける権利を有することを証する書面として取り扱うことはできない（昭36.4.4民甲808号）。

○ **051**

Cが真の権利者であれば、「A又はB」を被供託者とする供託は無効であり、Cに更正することも認められていないから、Cは無効な供託に対して還付請求をすることは許されない。

052 □□□ 平19-11-エ

民事保全法の保全命令に係る担保供託につき被供託者が還付請求をするときは、供託物払渡請求書に被担保債権の存在を証する書面を添付しなければならない。

供託物取戻手続

053 □□□ 平31-9-ア

被供託者が供託所に対し、口頭で供託を受諾する旨を申し出ているにすぎない場合には、供託者は、供託物の取戻しをすることができる。

054 □□□ 平25-11-ア（平31-9-イ、令5-11-イ）

被供託者が供託所に対して供託物還付請求権の譲渡の通知をした場合であっても、その通知に供託を受諾する旨が積極的に明示されていない限り、供託者は、供託物の取戻請求をすることができる。

055 □□□ 平25-11-オ

共有建物の賃貸借における賃料について受領拒否を原因とする弁済供託がされている場合において、数人の被供託者のうち一人が受諾をしたときは、供託者は、当該受諾に係る部分以外の供託金についても、取戻請求をすることができない。

○ **052**

保全命令に係る担保供託につき被供託者が還付請求をするときは、供託物払渡請求書に、「還付を受ける権利を有することを証する書面」を添付しなければならない（供託規24Ⅰ①）。この「還付を受ける権利を有することを証する書面」として「被担保債権の存在を証する書面」を添付する。

○ **053**

被供託者が書面でなく口頭だけで供託を受諾する旨を申し出ているときに、供託者が供託を取り消し、取戻しの請求があった場合には、認可することができる（昭36.4.4民甲808号）。

× **054**

被供託者が供託の受諾をすることによって供託者の取戻請求権は消滅するところ、供託所に対して供託金の還付請求権の譲渡通知書が送付された場合、当該譲渡通知の記載文言から、供託受諾の意思表示を有すると認められないときを除き、当該譲渡通知をもって供託受諾の意思表示がされたものと認めることができる（昭33.5.1民甲第917号）。

× **055**

数人の建物共有者が賃貸人となって賃貸借契約をした場合、その賃料債権は、分割債権である（民427）。そのため、数人の被供託者（賃貸人）のうち一人が受諾をしたときでも、他の被供託者（賃貸人）には影響を及ぼさないので、供託者は、当該受諾に係る部分以外の供託金について、取戻請求をすることができる。

056 □□□ 平18-9-イ

供託者が錯誤により供託物を受け取る権利を有しない者を被供託者として弁済供託をした場合において、供託者が錯誤を理由として供託物の取戻しを請求するときは、供託物払渡請求書に当該供託が錯誤によるものであることを証する書面を添付することを要しない。

057 □□□ 平2-13-1（平10-10-3、平11-9-2、平13-10-ア、平18-10-オ）

供託者は、供託物の還付請求権が差し押さえられた後は、供託物の取戻しを請求することができない。

058 □□□ 平7-9-1

弁済供託の供託者は、当該供託に係る債務を担保する質権が当該供託により消滅した場合でも、供託金の取戻請求をすることができる。

059 □□□ 平13-10-ウ

弁済供託に係る債務について保証契約が締結されていた場合には、供託により主たる債務が消滅する結果、保証債務も消滅するので、供託者は、供託物の取戻しを請求することができない。

060 □□□ 平7-9-4（平19-10-エ）

供託者は、被供託者が供託金還付請求権を第三者に譲渡し、その旨を供託所に通知した場合でも、供託金の取戻請求をすることができる。

× **056**

供託物取戻請求においては、副本ファイルの記録により取戻しをする権利を有することが明らかである場合を除いて、供託物払渡請求書に取戻しをする権利を有することを証する書面を添付しなければならない（供託規25Ⅰ）。

× **057**

供託物の還付請求権及び取戻請求権は、権利の主体が異なる別個独立の請求権であるから、一方の権利の変動は、他方に何ら影響を及ぼさない（最判昭37.7.13）。

× **058**

弁済供託をすることにより質権又は抵当権が消滅した場合、原則として供託者は供託物の取戻請求をすることができない（民496Ⅱ）。

× **059**

弁済供託に係る債務について保証契約が締結されていた場合において、供託がされたことによる主たる債務の消滅に伴い、保証債務が消滅したとしても、供託者（債務者）は、供託物の取戻しを請求することができる。

× **060**

供託物還付請求権を他人に譲渡するということは、原則として譲渡行為自体に供託受諾の意思表示も含まれていると解される（昭37.12.11民甲3560号）ので、供託者は、供託物の取戻請求をすることができなくなる（民496Ⅰ）。

061 □□□　平19-11-オ（令2-11-オ）

民事保全法の保全命令に係る担保供託につき担保の事由が消滅した場合には、供託者は、供託物払渡請求書に担保取消決定の正本及びその確定証明書を添付して供託物の取戻しを請求することができる。

062 □□□　平26-11-エ

差押えに係る債権について供託がされた後、差押命令の申立てが取り下げられた場合には、第三債務者は供託原因消滅を原因として供託金の取戻請求をすることができる。

063 □□□　平18-9-オ（平29-9-ア）

登記された法人が供託物の取戻しを請求する場合において、官庁又は公署から交付を受けた供託の原因が消滅したことを証する書面を供託物払渡請求書に添付したときは、印鑑証明書を添付することを要しない。

064 □□□　平27-10-ア（平6-9-イ、平12-9-エ）

委任による代理人によって供託金の取戻しを請求する場合において、供託物払渡請求書に添付された当該代理人の権限を証する書面に、供託金の受領に関する権限を委任する旨の記載があるときは、当該代理人の預金又は貯金に振り込む方法により払渡しを受けることができる。

○ **061**

保全命令に係る担保供託につき供託者が取戻請求をするときは、供託物払渡請求書に、供託原因の消滅を証する書面又は錯誤を証する書面などを「取戻しをする権利を有することを証する書面」として添付しなければならない（供託規25Ⅰ）。

× **062**

金銭債権に対する強制執行による差押えを原因として第三債務者が 供託した後、差押命令の申立てが取り下げられた場合又は当該差押命令を取り消す決定が効力を生じた場合、供託原因消滅を原因として当該第三債務者による供託物取戻請求は認められない（昭55.9.6民四5333号）。

× **063**

供託物取戻請求において、官庁又は公署から交付を受けた供託原因が消滅したことを証する書面を供託物払渡請求書に添付したときは、印鑑証明書の添付を省略できるが、これは法令の規定に基づき印鑑を登記所に提出することができる者以外の者が供託物の取戻しを請求する場合に限られ、登記された法人には適用されない（供託規26Ⅲ④）。

○ **064**

供託金の払渡しを受けようとする場合においては、請求者本人の預金口座だけでなく、当該代理人の預金口座に振り込む方法により供託金の払渡しを受けることができる（供託規22Ⅱ⑤）。

065 □□□ 平27-10-ウ（平15-11-2、平18-9-エ）

被供託者が供託を受諾しないことを理由として、供託者が供託金の取戻しを請求する場合においては、供託書上の供託者の住所及び氏名と供託物払渡請求書上の払渡請求者の住所及び氏名とが同一であっても、供託物払渡請求書に取戻しをする権利を有することを証する書面を添付しなければならない。

066 □□□ 平20-10-エ

強制執行停止の担保供託をしている場合において、供託原因が消滅したため、供託者が取戻請求をするときは、当該供託者が個人であっても法人であっても、担保取消決定書及び確定証明書のほか、印鑑証明書の添付をしなければならない。

特殊な払渡手続

067 □□□ 平20-11-ア（平5-9-オ、平26-11-オ、令5-9-エ）

執行供託における供託金の払渡しは、裁判所の配当等の実施としての支払委託に基づいてされ、供託物払渡請求書には、当該裁判所の交付に係る証明書を添付しなければならない。

× **065**

取戻請求の際に供託物払渡請求書には、取戻しをする権利を有することを証する書面を添付しなければならない（供託規25Ⅰ本文）が、副本ファイルの記録により、取戻しをする権利を有することが明らかである場合は除かれる（供託規25Ⅰ但書）。そして、供託不受諾を理由として供託者が取戻請求をするとき（民496Ⅰ）が、上記の例外に当たるので、取戻しをする権利を有することを証する書面は添付することを要しない。

× **066**

「法令の規定に基づき印鑑を登記所に提出することができる者以外の者」が供託物の取戻しを請求する場合において、官庁又は公署から交付を受けた供託の原因が消滅したことを証する書面を供託物払渡請求書に添付したときには、供託物払渡請求書に印鑑証明書を添付する必要はない（供託規26Ⅲ④）。

× **067**

執行供託において、支払委託書の記載から供託物の払渡しを受けるべき者であることが明らかとならないときは、供託物の払渡しを受けるべき者は、還付を受ける権利を証する書面として、執行裁判所の書記官から交付を受けた証明書を添付して還付請求をしなければならない（供託規30Ⅱ）。

保証供託の払渡手続

068 □□□ 平25-10-ア（平31-10-ア）

登記された法人が営業保証供託に係る供託金について供託物払渡請求書に官庁から交付を受けた支払証明書を添付して還付請求をする場合において、その額が10万円未満であるときは、供託物払渡請求書又は委任状に押された印鑑につき登記所の作成した証明書を供託物払渡請求書に添付することを要しない。

069 □□□ 平16-10-イ

法令の規定に基づき配当により供託物を払い渡すこととされている場合であっても、営業保証のため供託した供託物に対して権利を有することの確認判決を得た者は、配当によらないで当該供託物の還付を請求することができる。

070 □□□ 平16-10-ウ

営業保証のため供託した国債証券の償還期限が到来したときは、供託者は、供託所が国債の償還金を受け取り、これを国債証券に代わる供託物として保管することを求めることができる。

071 □□□ 平16-10-ア（平22-10-ウ、平30-11-イ）

訴訟費用の担保として原告が供託した供託物に対する権利の実行については、被告は、裁判所の配当手続によらず、供託所に対し直接還付を請求することができる。

× 068

法令の規定に基づき印鑑を登記所に提出することができる者以外の者が供託規則30条1項に規定する支払証明書を供託物払渡請求書に添付して、供託金の払渡しを請求する場合であって、その供託金の額が10万円未満であるときは、印鑑証明書の添付を省略することができる（供託規26Ⅲ⑤）が、登記された法人は印鑑を登記所に提出できる者以外の者に該当しない。

× 069

法令の規定に基づき配当により供託物を払い渡すこととされている場合には、債権者の権利実行の申立て等に基づいて配当実施権者が配当表を作成の上、供託所に対しては、支払委託書を送付して支払委託をするとともに、債権者には配当を受ける者である旨の支払証明書を交付し、債権者が支払証明書を添付して還付請求をする（供託規30）。

○ 070

供託有価証券の償還期限が到来した場合に、当該有価証券を供託した状態でその同一性を維持しながら供託目的物を有価証券からその償還金に変更する手続（4）を代供託といい、本肢はこれに該当する。

○ 071

裁判上の保証供託の被供託者が、権利の実行として供託物の払渡しを受ける方法としては、供託所に対して直接還付を請求する方法によらなければならない（平9.12.19民四2257号）。

072 □□□ 令2-11-エ（平15-10-オ、平22-10-イ）

供託された営業保証金について、官庁又は公署が配当を実施するときは、当該官庁又は公署は、配当金の支払をするため、被供託者として供託金の還付請求をすることができる。

利息の払渡手続

073 □□□ 平4-13-イ

供託金の受入れの月及び払渡しの月については日割計算により算出した額の利息を請求することができる。

074 □□□ 平4-13-ア

供託金の利息は、元本の払渡しを受けた後でなければ、請求することができない。

075 □□□ 令3-11-エ

供託物払渡請求権の譲渡がされた場合において、債権譲渡の通知に利息請求権の譲渡について明記されていなかったときは、譲受人の請求により、元金に当該通知の送達があった日から払渡しの前月までの利息を付して払い渡される。

× **072**

供託された営業保証金について、官庁又は公署が債権者に対する配当を実施する場合は、債権者は、供託所に還付請求をする（供託規30）。したがって、官庁又は公署は、配当金の支払をするために、供託金の還付を請求することはできない。

× **073**

供託金の利息は、供託受入れの月及び払渡しの月については、付さない（供託規33Ⅱ前段）。

× **074**

原則として、供託金の利息は、元本と同時に払い渡すものとされている（供託規34Ⅰ本文）。なお、元本と同時に払い渡すことができないときは、元本を払い渡した後に利息を払い渡すものとされている（供託規34Ⅰ但書）。

○ **075**

供託物払渡請求権が譲渡された場合において、供託所に送達された譲渡通知書に利息請求権の譲渡について明記されていないときは、譲渡通知書が送達された日の前日までの利息は譲渡人に払い渡され、以後の利息は譲受人に払い渡される（昭33.3.18民甲592号）。

076 □□□ 令3-11-ウ

執行供託における供託金の払渡しの場合には、執行裁判所の配当の実施後に生じた利息については、配当実施以後払渡しの前月までの利息が配当金の割合に応じて払い渡される。

077 □□□ 平4-13-エ（平14-10-1、平26-9-ウ）

保証として金銭を供託した場合には、毎年供託した月に応当する月の末日後に、同日までの利息を請求することができる。

078 □□□ 令3-11-ア

令和元年５月10日に保証として金銭を供託した場合には、供託者の請求により、令和２年４月１日以降に、令和元年６月１日から令和２年３月31日までの供託金利息が払い渡される。

079 □□□ 平4-13-オ（令3-11-オ）

供託金の金額が１万円未満の場合には、利息を請求することができない。

080 □□□ 平15-10-ウ（平22-10-エ）

営業により損害を受けたとして、営業保証金として供託された金銭の還付を請求する者は、供託金利息も合わせて払渡しを受けることができる。

○ **076**

配当原資に繰り入れられる供託金利息は供託後配当実施時点までの間に生じた利息であって、配当実施によって債権額が確定した後に生じた利息については、配当債権者の財産であり、別に支払委託を要することなく、配当債権者の請求により、配当期日以後支払の前月までの利息が配当金の割合に応じて支払われる（大14.7.2民5815号）。

○ **077**

保証として金銭を供託した場合には、毎年、供託した月に応当する月の末日後に、同日までの利息を払い渡すことができる（供託規34Ⅱ）。

× **078**

本肢においては、令和２年６月１日以降に、令和元年６月１日から令和２年５月31日までの１年分の利息の払渡請求をすることができる（供託規34Ⅱ）。

○ **079**

供託金の全額が１万円未満であるとき、又は供託金に１万円未満の端数があるときは、その全額又は端数金額に対しては利息を付さない（供託規33Ⅱ後段）。

× **080**

４条ただし書の保証金に代えて有価証券を供託した場合においては、担保の効力は、その有価証券にのみ及ぶ。保証供託として金銭を供託した場合にも、この規定の類推解釈により、担保の効力は、その目的物である供託金の元金にのみ及び、供託金の利息には及ばない（昭7.5.3民事局会議決定）。

081 □□□　平25-10-オ（平30-11-エ）

営業保証供託の供託者は、その供託金全額についての払渡しと同時に、又はその後でなければ、当該供託金の供託金利息の払渡請求をすることができない。

特殊な供託手続

082 □□□　平20-10-ウ

訴訟費用の担保として有価証券を供託している場合には、供託者は、裁判所の許可を得た上で、供託物を当該有価証券から金銭に換えることができる。

083 □□□　平25-10-エ（平15-10-エ）

営業保証供託に係る供託金の差替えは、供託金の取戻請求権が差し押さえられているときは、することができない。

084 □□□　平30-11-オ

営業保証金として供託した供託金の保管替えが法令の規定により認められる場合であっても、供託金の取戻請求権に対する差押えがされているときは、供託者は、その供託金の保管替えを請求することができない。

× 081

保証として金銭を供託した場合には、供託規則34条1項の規定にかかわらず、毎年、供託した月に応当する月の末日後において、同日までの利息を払い渡すことができる（供託規34Ⅱ）。

○ 082

裁判上の担保供託の供託物の差替えをする場合には、事前に裁判所の担保変換決定を受け（民訴80）、その決定に基づいて新たな供託を行った後、従前の供託物を取り戻すこととなる（大11.9.4民事3313号）。

○ 083

取戻請求権について譲渡・質入れ・差押え・その他の処分の制限がなされている場合には供託金の差替えをすることができない（昭36.7.19民甲1717号）。

○ 084

供託金払渡請求権について差押えがされている場合には、供託物の保管替えをすることはできない（昭36.7.19民甲1717号参照）。

085 □□□　　平16-10-エ（平25-10-ウ、令2-11-ウ）

営業保証のため有価証券を供託している事業者は、その主たる事務所の移転により最寄りの供託所が変更したときは、移転後の主たる事務所の最寄りの供託所への供託物の保管替えを請求することができる。

086 □□□　　平20-11-イ（平27-10-イ、令5-9-ア）

毎月継続的に家賃の弁済供託がされており、被供託者が数か月分の供託金について同時に還付請求をしようとする場合において、払渡請求事由が同一であるときは、被供託者は、一括してその請求をすることができる。

× **085**

供託物の保管替えとは、営業保証供託において、営業者が供託後にその営業所又は住所を移転し、管轄供託所に変更を生じた場合において、供託物が金銭又は振替国債であることを条件として、供託所の内部手続きによりその供託物を、新営業所または新住所の管轄供託所に移管する手続である（供託規21の3～21の6）。

○ **086**

同一人が数個の供託について同時に供託物の還付を受け、又は、取戻しをしようとする場合において、払渡請求の事由が同一であるときは、一括してその請求をすることができる（供託規23）。

3 供託関係書類の閲覧・供託関係の証明

087 □□□ 平10-11-3（平29-11-ウ）

供託物の取戻請求権を差し押さえようとする者は、供託に関する書類の閲覧を請求することができない。

088 □□□ 平29-11-イ

供託に関する書類の閲覧の請求は、委任による代理人によってはすることができない。

089 □□□ 平10-11-4（平29-11-エ）

供託に関する事項についての証明申請書には、証明を請求する事項を記載した書面を、証明の請求数に応じて添付しなければならない。

090 □□□ 平29-11-オ

供託につき利害の関係がある者がその供託に関する事項の証明を請求する場合には、手数料を納付することを要しない。

○ **087**

供託物の取戻請求権をこれから差し押さえようとする者は、供託物払渡請求権の一般債権者であり、実体上の債権者として利害関係を有していても、当該供託物につき法律上直接利害関係を有していない。したがって、供託規則48条の利害関係人には該当せず、供託関係書類の閲覧を請求することはできない。

× **088**

供託に関する書類の閲覧の請求は、委任による代理人によってもすることができる（供託規48Ⅲ・26・27参照）。

○ **089**

供託に関する事項についての証明申請書には、証明を請求する事項を記載した書面を、証明の請求数に応じて添付しなければならない（供託規49Ⅲ）。

○ **090**

供託につき利害の関係がある者は、供託に関する事項につき証明を請求することができる（供託規49Ⅰ）。そして、供託に関する事項につき証明を請求しようとする者は、証明申請書を提出しなければならないが（供託規49Ⅱ）、手数料を納付することは要しない。

供託法

第4編

民事執行法に関わる供託

1 執行供託各論

差押え

001 □□□　昭57-13-2（平元-14-1、平7-10-ア、平21-10-オ）

金銭債権について強制執行による差押えがされた場合には、第三債務者はその金銭債権の全額に相当する金銭を供託しなければならない。

002 □□□　平31-11-ア

金銭債権が差し押さえられた場合において、第三債務者が差押金額に相当する金銭を供託するときは、債務の履行地の供託所にしなければならない。

003 □□□　平23-11-オ

AがBに対して有する100万円の金銭債権（甲債権）につき、Aの債権者Cから強制執行による差押え（差押金額60万円）がされた場合には、Bは、当該差押金額に相当する60万円を供託することもできるし、甲債権の全額に相当する100万円を供託することもできる。

004 □□□　平29-10-オ

第三債務者は、金銭債権の一部が差し押さえられたことを原因としてその債権の全額に相当する金銭を供託するときは、供託書の「被供託者の住所氏名」欄には執行債務者の氏名又は名称及び住所を記載しなければならない。

× **001**

第三債務者は、差押えが競合していない場合でも、その債権全額に相当する金銭を供託することができる（民執156Ⅰ）が、供託義務は課されない。

○ **002**

金銭債権に対して差押えがされた場合の第三債務者がする供託の管轄供託所は、差し押さえられた金銭債権（被差押債権）の債務履行地の供託所である（民執156Ⅰ）。

○ **003**

Bは差押金額に相当する60万円を供託することもできるし（昭55.9.6民四5333号）、甲債権の全額に相当する100万円を供託することもできる（民執156Ⅰ）。

○ **004**

金銭債権の一部が差し押さえられた場合においては、第三債務者は、差押えに係る金銭債権の全額に相当する金銭を債務履行地の供託所に供託することができる（民執156Ⅰ）。そして、差押金額を超える供託金は弁済供託として扱われるため、供託書には被供託者として被差押債権の債権者（執行債務者）の氏名又は名称及び住所を記載しなければならない（供託規13Ⅱ⑥）。

005 □□□ 平12-10-ウ

金銭債権に対して差押えの執行が競合し、第三債務者が債権の全額に相当する金銭を供託するときは、供託書の「被供託者の住所氏名」欄には執行債務者の住所氏名を記載しなければならない。

006 □□□ 平31-11-ウ（令5-10-イ）

金銭債権の一部が差し押さえられた場合において、第三債務者が当該金銭債権の全額に相当する金銭を供託したときは、第三債務者は、執行債務者に供託の通知をしなければならない。

007 □□□ 平22-11-ア（平5-11-5、平16-11-ア）

金銭債権の一部が差し押さえられたことを原因として当該金銭債権の全額に相当する金銭を供託するときは、供託者は、供託官に対し、被供託者に供託通知書を発送することを請求することができる。

008 □□□ 平8-11-5（平3-14-1、平12-10-イ、平18-10-イ、平22-11-オ、平29-10-エ）

給与債権が差し押さえられた場合において、第三債務者が供託をするときは、差押禁止部分を含め給与の全額を供託することができる。

× **005**

執行債務者は当然には還付請求権を有せず、執行裁判所の配当等の実施としての支払委託によって初めて還付請求権が発生するから、供託書の「被供託者の住所氏名」欄に執行債務者の住所氏名を記載することはできない。

○ **006**

第三債務者が、債権の一部につき差押えを受け、債権全額を供託した場合、その差押えの効力の及んでいない部分の供託は、弁済供託としての性質を有し、被供託者を特定することができることから、供託者は、遅滞なく被供託者に供託の通知をしなければならない（民495Ⅲ）。

○ **007**

弁済供託又は弁済供託の性質を有する供託においては、供託者は、自ら被供託者に供託通知書を発送するほか、供託官に対し、被供託者に供託通知書を発送することを請求することができる（供託規16Ⅰ前段）。この点、金銭債権の一部が差し押さえられたことを原因として当該金銭債権の全額に相当する金銭を供託する場合、差押金額を超過する部分は、民法494条に基づく弁済供託の性質を有する。

○ **008**

給与債権等の差押禁止債権（民執152）について差押えがされた場合、第三債務者は、民事執行法156条1項により、給与債権全額に相当する金銭を供託することができる（昭55全国供託課長会同決議）。

009 □□□ 平3-14-2

金銭債権の全額について差押命令及び転付命令が送達された場合には、第三債務者は当該転付命令が確定した後においても、差押えに係る金銭債権の全額に相当する金額の供託をすることができる。

010 □□□ 平3-14-4（平8-11-3、平24-11-ア）

金銭債権の一部について差押えがされ、次いでほかの債権者から配当要求があった場合には第三債務者は、差押金額に相当する金銭を供託しなければならない。

011 □□□ 平7-10-ウ（平21-10-ア）

金銭債権について、差押えと差押えとが競合した場合、第三債務者はその債権の全額に相当する金銭を供託しなければならない。

012 □□□ 平24-11-エ

裁判上の担保供託の取戻請求権に対して差押えが競合した場合であっても、供託官は、供託金取戻請求に応ずることができるときまでは、その事情を裁判所に届け出ることを要しない。

013 □□□ 平18-10-ウ

金銭債権の一部に対して差押えがされ、第三債務者が当該金銭債権の全額に相当する金銭を供託しているときは、差押債権者は、その取立権に基づき直接払渡請求をすることができる。

× 009

転付命令が確定してその効力が発生した場合には、単に執行債務者から執行債権者に被差押債権が譲渡されたのと同様の状態になるため（民執159）、第三債務者は執行債権者に弁済すればよく、供託する利益は存しなくなるので、供託することはできない。

○ 010

差押えの後に配当要求があった場合は、配当要求の対象が、先に差押えがされた部分に限定されるため、差押えと配当要求の競合の範囲も差押部分に限定され、第三債務者は被差押債権の差押部分に相当する金額を供託しなければならない（民執156Ⅱ後段）。

○ 011

金銭債権に対して差押えが競合した場合、第三債務者は、その債権の全額に相当する金銭を債務履行地の供託所に供託しなければならない（民執156Ⅱ）。

○ 012

裁判上の担保供託の取戻請求権に対して差押えが競合した場合であっても、供託官は、払渡請求に応ずることができるとき（具体的には、担保取消決定が確定したとき）に初めて供託官に供託義務が生ずることになり、事情届を提出しなければならない（昭55.9.6民四5333号）。

× 013

金銭債権の一部に対して差押えがされ、第三債務者が当該金銭債権の全額に相当する金銭を供託している（民執156Ⅰ）ときは、供託金の払渡しは執行裁判所の配当等の実施としての支払委託に基づいてされる（民執166Ⅰ①、昭55.9.6民四5333号第二、四、1（一）（3）ア）。

014 □□□ 平31-11-エ

金銭債権の一部が差し押さえられた場合において、第三債務者が当該金銭債権の全額に相当する金銭を供託したときは、執行債務者は、供託金のうち、差押金額を超える部分について供託を受諾して還付請求をすることができる。

015 □□□ 平26-11-ウ（平18-10-エ）

金銭債権の一部が差し押さえられた場合において、第三債務者が差押えに係る債権の全額に相当する金銭を供託したときは、執行債務者は、供託金のうち、差押金額を超える部分の払渡しを受けることができる。

016 □□□ 平22-11-イ

第三債務者が差押えに係る金銭債権の全額に相当する金銭を供託したときは、執行裁判所は、配当の実施又は弁済金の交付をしなければならない。

017 □□□ 平31-11-イ

金銭債権が差し押さえられた場合において、第三債務者が差押金額に相当する金銭を供託したときは、差押債権者は、その取立権に基づき供託所に直接還付請求をすることができる。

○ **014**

金銭債権の一部が差し押さえられた場合において、第三債務者が差押えに係る債権の全額に相当する金銭を供託したときは、執行債務者は、供託金のうち、差押金額を超える部分について供託を受諾して還付請求をすることができる（昭55.9.6民四5333号）。

○ **015**

金銭債権の一部が差し押さえられた場合において、第三債務者が差押えに係る債権の全額に相当する金銭を供託したときは、執行債務者は、供託金のうち、差押金額を超える部分については供託を受諾して還付請求をすることができる（昭55.9.6民四5333号）。

○ **016**

第三債務者が差押えに係る金銭債権の全額に相当する金銭を供託した場合、執行裁判所は、債権者が一人である場合又は債権者が二人以上であって供託金で各債権者の債権及び執行費用の全部を弁済することができるときは、債権者に弁済金を交付し、剰余金を債務者に交付する（民執166・84Ⅱ）が、それ以外の場合は、配当表に基づいて配当を実施しなければならない（民執166・84Ⅰ）。

× **017**

金銭債権に対して差押えがされ、第三債務者がその差押金額に相当する金銭を供託している（民執156Ⅰ）ときは、供託金の払渡しは、執行裁判所の配当等の実施としての支払委託に基づいてされる（民執166Ⅰ①）。

018 □□□ 平6-11-1

金銭債権の一部が差し押さえられ、第三債務者がその全額に相当する金銭を供託した場合には、第三債務者は、供託金のうち差押金額を超える部分については、供託不受諾を原因として供託金の取戻しを請求することができる。

019 □□□ 平8-11-1

金銭債権に対して仮差押命令が送達され、第三債務者が供託した後、仮差押えの執行が効力を失った場合は、仮差押債務者（被供託者）は、供託金の還付請求をすることができる。

020 □□□ 平2-14-エ（平12-9-ウ）

金銭債権の一部に仮差押えが執行され、第三債務者が仮差押えの執行に係る債権の全額に相当する金銭を供託した場合には、第三債務者は、仮差押金額を超える部分について供託不受諾を原因として、取戻請求をすることができる。

021 □□□ 平4-12-3

金銭債権の一部に対して仮差押えの執行がされ、第三債務者が金銭債権の全額に相当する金銭を供託した場合には、その供託金のうち仮差押金額を超える部分については、債務者（被供託者）は、供託を受諾して還付請求をすることができる。

○ **018**

債権の一部が差し押さえられた場合において、その債権の全額に相当する金銭を供託したときは、第三債務者は差押金額を超える部分については、（執行債務者が受諾するまでは）供託不受諾を原因として供託金の取戻請求をすることができる（昭55.9.6民四5333号）。

○ **019**

金銭債権に対して仮差押命令が送達され、第三債務者が供託した後、仮差押えの執行が効力を失った場合は、仮差押債務者（被供託者）は、供託金の還付請求をすることができる（平2.11.13民四5002号）。

○ **020**

仮差押金額を超える部分については、第三債務者は供託不受諾を原因として取戻請求をすることができる（平2.11.13民四5002号第二、三（1）イ（ア））。

○ **021**

仮差押金額を超える部分については、債務者は供託を受諾して還付請求をすることができる（民496Ⅰ、平2.11.13民四5002号第二、三（1）イ（ア））。

仮差押え

022 □□□ 平7-10-イ

金銭債権の一部に対して仮差押えの執行がされた場合、第三債務者は仮差押えに係る金銭債権の全額に相当する金銭を供託しなければならない。

023 □□□ 平29-10-イ（平元-14-3、平7-10-オ、平12-10-エ、平16-11-オ、平22-11-ウ）

第三債務者は、金銭債権の一部に対して仮差押えの執行がされた後、当該金銭債権のうち仮差押えの執行がされていない部分を超えて発せられた仮差押命令の送達を受けたときは、その債権の全額に相当する金銭を供託しなければならない。

024 □□□ 平21-10-ウ

金銭債権の一部について仮差押えの執行がされた場合、第三債務者は、仮差押えの執行に係る額に相当する金銭を債務の履行地の供託所に供託しなければならない。

025 □□□ 平7-10-エ（平18-10-ア、平23-11-イ、平29-10-ア）

金銭債権について、差押えと仮差押えの執行とが競合した場合、第三債務者は差押え等に係る金銭債権の全額に相当する金銭を供託しなければならない。

× **022**

金銭債権の一部について仮差押えの執行がされた場合、第三債務者は、仮差押えの執行に係る金銭債権の全額に相当する金銭を供託することが「できる」が（民保50Ⅴ、民執156Ⅰ）、供託義務は課されない。

× **023**

仮差押えの執行が競合した場合においても、第三債務者は、仮差押えの執行に係る金銭債権の全額に相当する金銭を供託することが「できる」が（民保50Ⅴ、民執156Ⅰ、平2.11.13民四5002号第二、三（1）ア（イ））、供託義務は課されない。

× **024**

金銭債権の一部について仮差押えの執行がされた場合には、第三債務者は、仮差押えの執行に係る額に相当する金銭又は金銭債権の全額に相当する金銭を、債務の履行地の供託所に供託することができる（民保50Ⅴ、民執156Ⅰ）のであって、義務ではない。

○ **025**

第三債務者は、取立訴訟（民執157）の訴状の送達を受ける時までに、差押えに係る金銭債権のうち差し押さえられていない部分を超えて発せられた仮差押命令の送達を受けたときは、その債権の全額を供託しなければならない（民執156Ⅱ）。

026 □□□ 平16-11-エ

金銭債権に対して仮差押えの執行がされたため、第三債務者が当該金銭債権の額に相当する金銭を供託したときは、仮差押えの債務者は、供託金のうち仮差押解放金の額を超える部分については、還付を請求することができる。

滞納処分

027 □□□ 平3-14-5（平21-10-イ、平22-11-エ、平24-11-ウ）

金銭債権の一部について滞納処分による差押えがされ、さらに強制執行による差押えがされて差押えが競合した場合には、第三債務者は、差押えに係る金銭債権の全額に相当する金銭を供託しなければならない。

028 □□□ 平29-10-ウ（平23-11-エ）

第三債務者は、金銭債権に対して滞納処分による差押えのみがされたときは、その債権の全額に相当する金銭を供託することができる。

029 □□□ 平23-11-ア（平8-11-4）

AがBに対して有する100万円の金銭債権（甲債権）につき、Aの債権者Cから仮差押え（仮差押金額80万円）の執行がされた後、D税務署長から滞納処分による差押え（差押金額60万円）がされた場合において、Bが甲債権の全額に相当する100万円を供託したときは、Bは、遅滞なく、Aに供託の通知をしなければならない。

○ **026**

仮差押債務者（被供託者）は仮差押金額（仮差押解放金）を超える部分については、供託受諾を原因として供託金の還付請求をすることができる（平2.11.13民四5002号第二、三（1）イ（ア））。

× **027**

滞納処分による差押えが先行し、強制執行による差押えと競合した場合は、第三債務者はその債権の全額に相当する金銭を供託することが「できる」が（滞調20の6Ⅰ）、供託義務は課されない。

× **028**

金銭債権について、滞納処分による差押えのみがされた場合には、第三債務者の供託は認められていない。

○ **029**

金銭債権について、仮差押えの執行と滞納処分による差押えが競合した場合（差押え等の先後関係を問わない。）において、第三債務者は、その全額に相当する金銭を債務の履行地の供託所に供託することができる（滞調20の9・36の12・20の6Ⅰ）。この場合の供託は、本来の債権者（仮差押債務者）が還付請求権を取得する一種の弁済供託であるので、仮差押債務者を被供託者とし、同人に供託通知をする必要がある（民495Ⅲ・494Ⅰ）。

030 □□□ 平26-11-ア

金銭債権の一部について仮差押えの執行がされた場合において、その残余の部分を超えて滞納処分による差押えがされたときは、第三債務者は、その金銭債権の全額に相当する金銭を供託しなければならない。

031 □□□ 平31-11-オ

金銭債権に対する仮差押えの執行と滞納処分による差押えが競合した場合において、第三債務者が当該金銭債権の全額に相当する金銭を供託したときは、第三債務者は、執行裁判所に事情届をしなければならない。

032 □□□ 平16-11-イ

滞納処分による差押えがされた金銭債権に対して、その後、強制執行による差押えがされた場合であっても、第三債務者は、供託をしないで徴収職員の取立てに応じて弁済することができる。

× **030**

金銭債権について滞納処分による差押えと仮差押えの執行が競合した場合（先後関係は問わない）は、第三債務者は、その債権の全額に相当する金銭を債務の履行地の供託所に供託することができる（滞調20の6Ⅰ・20の9Ⅰ・36の12Ⅰ）。

× **031**

金銭債権について仮差押えの執行と滞納処分による差押えとが競合した場合（差押え等の先後関係を問わない。）、第三債務者は、その債権の全額に相当する金銭を債務の履行地の供託所に供託することができる（滞調20の9Ⅰ・36の12Ⅰ・20の6Ⅰ）。そして、この場合、第三債務者は徴収職員等に対してその事情を届け出なければならない（滞調36の12Ⅰ・20の9Ⅰ・20の6Ⅱ）。

○ **032**

供託しなかった場合には、滞納処分による差押えがされた部分については、第三債務者は徴収職員等に対して直接弁済することができる。

❷ 解放金の供託

033 □□□ 令3-9-ウ

仮差押えの執行を取り消すために債務者がする仮差押解放金の供託は、債務の履行地の供託所にしなければならない。

034 □□□ 平4-11-エ（平10-9-エ、平27-9-オ）

仮差押解放金の供託においては、債務者以外の第三者が供託者となることはできない。

035 □□□ 平24-11-イ

仮処分解放金の供託書には、被供託者を記載することを要しない。

036 □□□ 平21-10-エ

金銭債権について仮差押えの執行がされた場合において、債務者が仮差押解放金を供託したことを証明したときは、保全執行裁判所は、仮差押えの執行を取り消さなければならない。

× **033**

仮差押解放金を供託する場合には、仮差押命令を発した裁判所又は保全執行裁判所の所在地を管轄する地方裁判所の管轄区域内の供託所にしなければならない（民保22Ⅱ）。

○ **034**

仮差押解放金（民保22Ⅰ）の供託においては、債務者以外の第三者は供託者となることができない（昭42全国供託課長会同決議）。

× **035**

仮処分解放金の供託の申請をする場合には、供託書中「被供託者」欄に仮処分命令に記載されている該当者を被供託者として記載することを要する。

○ **036**

金銭債権について仮差押えの執行がされた場合において、債務者が仮差押解放金（民保22Ⅰ）に相当する金銭を供託したことを証明したときは、保全執行裁判所は、仮差押えの執行を取り消さなければならない（民保51Ⅰ）。

供託法

第5編

供託物払渡請求権の時効消滅

❶ 供託物払渡請求権の時効消滅

001 □□□ 平7-9-2

被供託者は、供託金取戻請求権について消滅時効が完成した後は、供託金の還付請求をすることができない。

002 □□□ 平9-11-ア

取戻請求権についての時効が更新されても、還付請求権についての時効は更新されない。

003 □□□ 令6-11-エ（平9-11-ウ）

家賃の5か月分につき一括してされた弁済供託の1か月分の供託金について取戻請求があり、これが払い渡された場合には、他の4か月分の供託金取戻請求権の消滅時効は、その時から新たに進行する。

004 □□□ 平23-10-イ（平3-13-ア、平9-11-オ、平27-11-ウ、平27-11-エ）

債権者の所在不明による受領不能を原因とする弁済供託においては、供託金還付請求権又は供託金取戻請求権の消滅時効は、いずれも、供託の時から進行する。なお、消滅時効における主観的起算点については考慮しないものとする。

× **001**

還付請求権と取戻請求権は別個独立の権利であるから、取戻請求権について消滅時効が完成した場合であっても、還付請求権はその影響を受けない（昭35.8.26民甲2132号参照）。

○ **002**

還付請求権と取戻請求権は別個独立の権利であり、原則として、一方の請求権に生じた事由によって他方の請求権は影響を受けない（最判昭37.7.13、昭35.8.26民甲2132号）。

○ **003**

一括して弁済供託された供託金の一部につき取戻請求があり、払渡しがあったときは、残部についても債務の承認があったものとして消滅時効が更新される（昭39.11.21民甲3752号）。

× **004**

債権者の所在不明による受領不能を原因とする弁済供託における供託物の払渡請求権の消滅時効は、還付請求権については、「供託の時」を客観的起算点として進行する（昭60.10.11民四6428号）。これに対して、取戻請求権については、「供託の基礎となった債務について消滅時効が完成するなど、供託者が免責の効果を受ける必要がなくなった時」を客観的起算点として進行する（最判平13.11.27、平14.3.29民商802号）。

005 □□□　平23-10-エ（平27-11-イ）

債権者の受領拒否を原因とする弁済供託においては、供託金還付請求権の消滅時効は、供託の基礎となった事実関係をめぐる紛争が解決するなどにより、被供託者において供託金還付請求権の行使を現実に期待することができることとなった時から進行する。なお、消滅時効における主観的起算点については考慮しないものとする。

006 □□□　平23-10-ア

供託官が弁済供託の被供託者に対して供託されていることの証明書を交付したときは、供託金還付請求権の時効は、更新される。

007 □□□　平23-10-オ

弁済供託の供託者の請求により当該弁済供託に関する書類の全部が閲覧に供された場合であっても、供託金取戻請求権の時効は、更新されない。なお、消滅時効における主観的起算点については考慮しないものとする。

008 □□□　平27-11-ア

供託官が弁済供託の被供託者に対して、当該弁済供託に関する事項の証明書を交付したときは、供託金還付請求権の消滅時効及び供託金取戻請求権の消滅時効は、いずれも更新される。

○ **005**

当事者間に紛争のある原因に基づく弁済供託における供託物の払渡請求権（取戻請求権及び還付請求権）の消滅時効の客観的起算点は、供託の基礎となった事実関係をめぐる紛争が解決する等により、「供託当事者において払渡請求権の行使が現実に期待することができることとなった時点」である（最大判昭45.7.15、昭45.9.25民甲4112号）。

○ **006**

供託につき利害の関係がある者は、供託に関する事項につき証明を請求することができる（供託規49Ⅰ）。そして、供託官が弁済供託の被供託者に対して、供託されていることの証明書を交付したときは、供託金還付請求権の時効は、更新される（昭10.7.8民甲675号）。

× **007**

供託につき利害の関係がある者は、供託に関する書類の閲覧を請求することができる（供託規48Ⅰ）。そして、弁済供託の供託者の請求により当該弁済供託に関する書類の全部が閲覧に供された場合、これが民法152条1項の「債務の承認」に当たると解され、供託金取戻請求権の時効は、更新される（昭39.10.3民甲3198号）。

× **008**

本肢では、供託官が、弁済供託の被供託者に、当該弁済供託に関する事項の証明書を交付しているので、供託金還付請求権の消滅時効は更新されるが、供託金取戻請求権の消滅時効は、更新されない。

009 □□□ 令6-11-イ（平9-11-エ）

弁済供託の被供託者から供託所に対し、供託を受諾する旨を記載した書面が提出された場合であっても、供託物還付請求権の消滅時効の更新の効力を生じない。

○ **009**

弁済供託について、被供託者から供託受諾書が提出されたのみでは、供託金還付請求権の消滅時効は更新されない（昭36.1.11民甲62号）。

司法書士法

第1編

司法書士に関するルール

1 序説

001 □□□ 令2-8-エ

司法書士の登録を受けている者は、所属する司法書士会を退会し、他の司法書士会に入会していない場合には、引き続き司法書士の業務を行うことはできない。

○ **001**

司法書士会に入会していない者は、司法書士業務を行うことができない（3Ⅱ③・73Ⅰ）。

2 司法書士になるための要件

資格

002 □□□ 令2-8-ア

司法書士の登録を受けている者は、兼業している土地家屋調査士の業務を懲戒処分により禁止された場合であっても、引き続き司法書士の業務を行うことができる。

003 □□□ 令2-8-イ

司法書士試験に合格した者が未成年である場合であっても、成年に達する前に司法書士の登録を受け、業務を行うことができる。

004 □□□ 令2-8-ウ

司法書士の登録を受けている者は、破産手続開始の決定を受けた場合であっても、引き続き司法書士の業務を行うことができる。

005 □□□ 令2-8-オ

司法書士の登録を受けている者は、執行猶予付きの禁錮以上の刑の判決の言渡しを受け、これが確定した場合には、引き続き司法書士の業務を行うことはできない。

× **002**

懲戒処分により、公認会計士の登録を抹消され、若しくは土地家屋調査士、弁理士、税理士若しくは行政書士の業務を禁止され、又は税理士であった者であって税理士業務の禁止の懲戒処分を受けるべきであったことについての決定を受け、これらの処分の日から３年を経過しない者は、司法書士となる資格を有しない（5⑥）。

× **003**

未成年者は、司法書士となる資格を有しない（5②）。

× **004**

破産手続開始の決定を受けて復権を得ない者は、司法書士となる資格を有しない（5③）。

○ **005**

禁錮以上の刑に処せられ、その執行を終わり、又は執行を受けることがなくなってから３年を経過しない者は、司法書士となる資格を有しない（5①）。この点、禁錮以上の刑の執行猶予の判決を受けた者は、判決の確定によりその刑に処せられたことになり、かつ、刑の執行が未確定であり、執行を受けることがなくなったとはいえないから、5条1号に該当する。

登録

006 □□□ 平20-8-ア

司法書士となる資格を有する者は、事務所を設けようとする地を管轄する法務局又は地方法務局の管轄区域内に設立された司法書士会を経由して日本司法書士会連合会に対して司法書士名簿への登録の申請をすれば、その登録が完了した時に、当然に、経由した司法書士会に入会したものとみなされる。

007 □□□ 平27-8-オ（令3-8-ウ）

司法書士は、司法書士会に入会したときは、当該司法書士会の会則の定めるところにより、事務所に司法書士の事務所である旨の表示をしなければならない。

変更の登録

008 □□□ 平28-8-イ

Ａ地方法務局の管轄区域内に主たる事務所の所在地がある司法書士法人Ｘが、その名称を変更したときは、変更の日から二週間以内に、その旨をＡ地方法務局の長に届け出なければならない。

009 □□□ 令4-8-ア

司法書士は、他の法務局又は地方法務局の管轄区域内に事務所を移転しようとする場合には、現に所属する司法書士会を経由して、日本司法書士会連合会に対し、所属する司法書士会の変更の登録の申請をしなければならない。

×　**006**

司法書士となる資格を有する者が、事務所を設けようとする地を管轄する法務局又は地方法務局の管轄区域内に設立された司法書士会を経由して日本司法書士会連合会に対して司法書士名簿への登録申請をする場合、同時に司法書士会に対して入会の手続をとる必要があり（9Ⅰ・57Ⅰ）、当然に、経由した司法書士会に入会したものとみなされるのではない。

○　**007**

司法書士は司法書士会に入会したときは、その司法書士会の会則の定めるところにより、事務所に司法書士の事務所である旨の表示をしなければならない（司書施規20Ⅰ）。

×　**008**

司法書士法人は、定款を変更したときは、変更の日から2週間以内に、変更に係る事項を、主たる事務所の所在地の司法書士会及び日本司法書士会連合会に届け出なければならない（35Ⅱ）。

×　**009**

司法書士は、他の法務局又は地方法務局の管轄区域内に事務所を移転しようとするときは、その管轄区域内に設立された司法書士会を経由して、日本司法書士会連合会に、所属する司法書士会の変更の登録の申請をしなければならない（13Ⅰ）。

010 □□□ 平20-8-イ

司法書士は、事務所の移転に伴い所属する司法書士会を変更する場合には、新たに所属する司法書士会を経由して、日本司法書士会連合会に対して変更の登録の申請をすれば足り、現に所属する司法書士会に対して、変更の登録の申請をする旨を併せて届け出る必要はない。

登録取消し

011 □□□ 平20-8-オ

司法書士名簿への登録が拒否された場合には、日本司法書士会連合会から申請者に対して登録が拒否された旨及びその理由が通知され、司法書士名簿への登録が行われた場合には、日本司法書士会連合会から申請者に対して登録が行われた旨が通知される。

× 010

司法書士は、他の法務局又は地方法務局の管轄区域内に事務所を移転しようとするときは、その移転先の管轄区域内に設立された司法書士会を経由して、日本司法書士会連合会に所属する司法書士会の変更の登録を申請しなければならない（13Ⅰ）。そして、上記変更の登録をした時に、当該司法書士は従前所属していた司法書士会を退会する（57Ⅲ）ため、現に所属する司法書士会に対して退会する旨を届け出なければならない（13Ⅱ）。

○ 011

日本司法書士会連合会は、登録の申請を受けた場合において、登録をしたときはその旨を、登録を拒否したときはその旨及びその理由を申請者に書面により通知しなければならない（11・9Ⅰ）。

3 司法書士の仕事

業務範囲

012 □□□ 平24-8-エ

司法書士は、最高裁判所が上告裁判所となるときであっても、その上告状を作成する事務を行う業務を受任することができる。

013 □□□ 平21-8-ア（平17-8-ウ）

司法書士は、司法書士法第３条第２項に規定する司法書士でなくても、民事に関する紛争（簡易裁判所における民事訴訟法の規定による訴訟手続の対象となるものに限る。）であって紛争の目的の価額が140万円を超えないものについて、相談に応ずることを業とすることができる。

義務

014 □□□ 令3-8-ア（平27-8-ウ）

司法書士は、公務員として職務上取り扱った事件について、その業務を行うことができない。

015 □□□ 平24-8-ア（平21-8-イ、平17-8-エ）

司法書士は、裁判書類作成業務の受任を特定の者から依頼されたもののみに限定することはできない。

○ **012**

司法書士は、他人の依頼を受けて、裁判所に提出する書類を作成する業務を受任することができ（3Ⅰ④)、裁判所には、最高裁判所も含まれる。

× **013**

簡易裁判所における請求額が140万円を超えない民事紛争について相談に応ずることができる司法書士は、3条2項に規定された要件を満たした者（特定社員）に限られる（3Ⅱ・Ⅰ⑦)。

○ **014**

司法書士は、公務員として職務上取り扱った事件及び仲裁手続により仲裁人として取り扱った事件については、その業務を行ってはならない（22Ⅰ)。

○ **015**

司法書士は、簡裁訴訟代理等関係業務（3Ⅰ⑥～⑧）に関するものを除き、正当な事由がある場合でなければ、依頼を拒むことができない（21)。したがって、裁判書類作成業務（3Ⅰ④）の受任を特定の者から依頼されたもののみに限定することはできない。

016 □□□ 平17-8-オ

供託者を代理して債権者不確知を理由とする弁済供託の手続をしていたとしても、当該供託の被供託者から供託物払渡請求権の確認訴訟に係る裁判書類の作成について依頼を受けることができる。

017 □□□ 平21-8-ウ

司法書士Aは、Bの依頼を受けてCを相手方とする訴えの訴状を作成した。この場合、Aは、Bの同意があれば、Cの依頼を受けて、当該訴状を作成した事件についての裁判書類作成関係業務を行うことができる。

018 □□□ 平26-8-オ

司法書士は、登記権利者及び登記義務者の双方から登記申請の代理の依頼を受けて当該申請に必要な書類を受領した場合において、当該申請をする前に登記義務者から当該書類の返還を求められたときは、登記権利者に対する関係では、登記権利者の同意がある等特段の事情のない限り、その返還を拒むべき義務を負う。

019 □□□ 平25-8-ア

司法書士は、業務の依頼をしようとする者から求めがあったときは、報酬の基準を示さなければならないが、その求めがなかったときは、当該基準を示すことを要しない。

○ **016**

供託に関する手続について代理する業務は、22条2項による規制対象とされていない。

× **017**

司法書士は、相手方の依頼を受けて裁判書類等の作成業務を行った事件について、裁判書類作成関係業務を行ってはならない（22Ⅱ①）。これは、相手方の同意があっても同様である(22Ⅲ参照)。

○ **018**

司法書士が登記義務者から交付を受けた登記手続に必要な書類は、登記義務者からその返還を求められても、登記権利者の同意等特段の事情のない限り、これを拒むべき義務を負う（最判昭53.7.10)。

× **019**

司法書士は、3条1項各号に掲げる事務を受任しようとする場合には、あらかじめ、依頼をしようとする者に対し、報酬額の算定の方法その他の報酬の基準を示さなければならない（司書施規22)。その求めがなかったときは基準を示さなくてよいという規定はない。

020 □□□ 平29-8-ア

司法書士は、依頼者から報酬を受けたときは、領収証を作成して依頼者に交付しなければならないが、その領収証には、受領した報酬額の総額を記載すれば足りる。

021 □□□ 平27-8-イ

司法書士は、登記手続についての代理の依頼を拒んだ場合においては、速やかにその旨を依頼者に通知すれば足り、依頼者の請求があるときであっても、その理由書を交付することを要しない。

022 □□□ 平29-8-エ

司法書士は、登記に関する手続の代理の依頼を受けた場合において、正当な事由がなくても、依頼者に対して理由書を交付すれば、当該依頼を拒むことができる。

023 □□□ 平25-8-イ（平29-8-ウ）

司法書士は、補助者を置いたときは、遅滞なく、その旨を所属の司法書士会に届け出なければならない。

024 □□□ 平26-8-ア

司法書士は、長期の疾病などやむを得ない事由により自ら業務を行い得ない場合には、一定の期間を定めて、補助者に全ての業務を取り扱わせることができる。

× **020**

司法書士は、依頼者から報酬を受けたときは、領収証正副2通を作成し、正本は、これに記名し、職印を押して依頼者に交付し、副本は、作成の日から3年間保存しなければならない（司書施規29Ⅰ）。そして、当該領収証には、受領した報酬額の内訳を詳細に記載しなければならない（司書施規29Ⅲ）。

× **021**

司法書士は、依頼（簡裁訴訟代理等関係業務に関するものを除く。）を拒んだ場合において、依頼者の請求があるときは、その理由書を交付しなければならない（司書施規27Ⅰ）。

× **022**

司法書士は、簡裁訴訟代理等関係業務に関するものを除き、正当な事由がある場合でなければ依頼を拒むことができない（21）。

○ **023**

司法書士は、補助者を置いたときは、遅滞なく、その旨を所属の司法書士会に届け出なければならない（司書施規25Ⅱ）。

× **024**

司法書士は、他人をしてその業務を取り扱わせてはならない（司書施規24）。この点、「他人」には補助者も含まれるため、たとえ疾病・傷害等のやむを得ない事情により司法書士自らが業務を行い得ない場合でも、補助者に全面的に業務を取り扱わせることは許されない。

025 □□□ 平25-8-ウ

司法書士は、法務局又は地方法務局の長に対する登記に関する審査請求の手続について代理することの依頼については、正当な事由がある場合でなくても、拒むことができる。

026 □□□ 平25-8-エ（平29-8-イ）

刑事訴訟における証人として証言する場合には、司法書士であった者は、業務上取り扱った事件について知ることのできた秘密を他に漏らすことが許されるが、司法書士は、当該秘密を他に漏らすことは許されない。

027 □□□ 平25-8-オ（平29-8-オ）

司法書士は、事件簿を調製し、かつ、その閉鎖後７年間保存しなければならない。

× **025**

司法書士は、登記手続の代理業務や裁判書類の作成業務などの3条1項1号から5号までに規定する業務については、正当な事由がある場合でなければ依頼を拒むことができない（21）。そのため、法務局又は地方法務局の長に対する登記に関する審査請求の手続について代理すること（3Ⅰ③）の依頼については、正当な事由がなければ拒むことができない。

× **026**

司法書士又は司法書士であった者は、正当な事由がある場合でなければ、業務上取り扱った事件について知ることのできた秘密を他に漏らしてはならない（24）。この点、「正当な事由がある場合」とは、刑事訴訟における証人として証言する場合などをいう。そして、「正当な事由がある場合」には、司法書士又は司法書士であった者を問わず、秘密を他に漏らすことも許容される。

○ **027**

司法書士は、日本司法書士会連合会の定める様式により事件簿を調製し、その閉鎖後７年間保存しなければならない（司書施規30Ⅰ・Ⅱ）。

❹ 司法書士法人

設立

028 □□□　平20-8-ウ（平23-8-イ、平28-8-ア）

司法書士法人は、その成立の時に、当然に、主たる事務所の所在地を管轄する法務局又は地方法務局の管轄区域内に設立された司法書士会の会員となる。

業務及び社員の責任

029 □□□　平16-8-ア

簡裁訴訟代理等関係業務を行うことも目的とする司法書士法人の場合を除き、司法書士法人の社員である司法書士は、すべて業務執行権限を有する。

030 □□□　平16-8-イ

司法書士法人の社員が司法書士の登録を取り消された場合、司法書士でなくなるが、当然に司法書士法人を脱退することにはならない。

○ **028**

司法書士法人は、主たる事務所の所在地において設立の登記をした時に、当然に、主たる事務所の所在地の司法書士会の会員となる（58Ⅰ・33）。

○ **029**

司法書士法人の社員は、すべて業務を執行する権利を有し、義務を負う（36Ⅰ）。ただし、簡裁訴訟代理等関係業務を行うことを目的とする司法書士法人における簡裁訴訟代理等関係業務については、3条2項に規定する司法書士である社員のみが業務を執行する権利を有し、義務を負う（36Ⅱ）。

× **030**

司法書士法人の社員は、司法書士でなければならない（28Ⅰ）。したがって、司法書士の登録の取消し（15Ⅰ・16Ⅰ）は、当然に司法書士法人の社員の法定脱退事由となる（43）。

031 □□□ 平23-8-ア（平28-8-ウ）

定款又は総社員の同意によって、社員のうち特に司法書士法人を代表すべきものを定めていない場合には、当該司法書士法人の社員が各自司法書士法人を代表するが、簡裁訴訟代理等関係業務を行うことを目的とする司法書士法人における簡裁訴訟代理等関係業務については、司法書士法第３条第２項に規定する司法書士である社員以外の社員は、司法書士法人を代表することができない。

032 □□□ 平16-8-ウ

司法書士法人の社員は原則として、司法書士法人の債務について責任を負わない。ただし、例外として、司法書士法人の財産をもってその債務を完済することができないときや、司法書士法人の財産に対する強制執行が功を奏しなかったときは、連帯して弁済する責任を負う。

033 □□□ 平21-8-エ（平16-8-オ、平27-8-エ、平30-8-ア）

司法書士法人の社員は、他の社員全員の承諾がある場合であっても、自己若しくは第三者のためにその司法書士法人の業務の範囲に属する業務を行い、又は他の司法書士法人の社員となってはならない。

034 □□□ 平17-8-ア（平27-8-ア、令3-8-イ）

簡裁訴訟代理等関係業務を行うのに必要な能力を有する旨の法務大臣の認定を受けた司法書士である社員がいない司法書士法人であっても、当該認定を受けた司法書士である使用人がいれば、簡裁訴訟代理等関係業務を行うことができる。

○ **031**

定款又は総社員の同意によって、社員のうち特に司法書士法人を代表すべきものを定めている場合を除いて、司法書士法人の社員は、各自司法書士法人を代表する（37Ⅰ）。しかし、簡裁訴訟代理等関係業務を行うことを目的とする司法書士法人における簡裁訴訟代理等関係業務については、特定社員（3条2項に規定する司法書士である社員）のみが、各自司法書士法人を代表する（37Ⅱ・3Ⅱ）。

○ **032**

司法書士法人の財産をもってその債務を完済することができないときは、各社員は、連帯して、その弁済の責めに任ずる（38Ⅰ）。また、司法書士法人の財産に対する強制執行がその効を奏しなかったときも、同様である（38Ⅱ）。

○ **033**

司法書士法人の社員は他の社員全員の承諾があっても競業は禁止される（42）。

× **034**

簡裁訴訟代理等関係業務は、社員のうちに簡裁訴訟代理等関係業務を行うのに必要な能力を有する旨の法務大臣の認定を受けた司法書士がある司法書士法人（司法書士会の会員である者に限る。）に限り、行うことができる（29Ⅱ）。

035 □□□ 平17-8-イ（平26-8-イ）

司法書士法人は、定款で定めるところにより、当事者その他関係人の依頼により、後見人に就職し、他人の法律行為について代理する業務を行うことができる。

036 □□□ 平30-8-オ

司法書士法人は、定款で定めるところにより、当事者その他関係人の依頼により、管財人、管理人その他これらに類する地位に就き、他人の財産の管理又は処分を行う業務をすることができる。

037 □□□ 平18-8-ア（平23-8-ウ、平30-8-イ）

Aは、AがBに対して有する100万円の貸金返還請求権を訴訟物として、Bに対し、訴え（以下「本件訴え」という。）を提起したいと考えている。この場合に、司法書士法人Cは、Aから本件訴えに係る訴状の作成業務を受任し、Cの使用人である司法書士Dは、この業務に関与した。この場合、Dは、Cを離職した後であれば、個人としてBの依頼を受け、本件訴えに係る訴訟においてBが提出すべき答弁書を作成することができる。

○ **035**

司法書士法人は、定款で定めるところにより、当事者その他の関係人の依頼により、後見人、保佐人、補助人、監督委員その他これらに類する地位に就き、他人の法律行為について、代理、同意若しくは取消しを行う業務をすることができる（29Ⅰ①、司書施規31②）。

○ **036**

司法書士法人は、定款で定めるところにより、当事者その他関係人の依頼により、管財人、管理人その他これらに類する地位に就き、他人の財産の管理又は処分を行う業務をすることができる（29Ⅰ①、司書施規31①）。

× **037**

司法書士法人の使用人である司法書士は、当該法人に在職中に自ら関与した裁判書類作成関係業務に関し、当該法人を離職後も、同一事件につき、相手方の依頼を受けて裁判書類を作成することはできない（22Ⅱ②）。

038 □□□ 平18-8-イ

Aは、AがBに対して有する100万円の貸金返還請求権を訴訟物として、Bに対し、訴え（以下「本件訴え」という。）を提起したいと考えている。この場合に、司法書士法人Cは、Aから本件訴えに係る訴訟における訴訟代理業務を受任したが、Cの使用人である司法書士Dは、この業務に関与しなかった。この場合、Dは、Aの同意があれば、AC間で当該訴訟代理業務についての委任関係が継続していても、個人としてBの依頼を受け、本件訴えに係る訴訟においてBが提出すべき答弁書を作成することができる。

039 □□□ 平24-8-ウ

司法書士法人がXの依頼を受けて受任した裁判書類作成業務について、当該司法書士法人の使用人として自らこれに関与した司法書士は、Xが同意した場合には、当該裁判書類作成業務に係る事件のXの相手方であるYから、個人の司法書士として当該事件に関する裁判書類作成業務を受任することができる。

040 □□□ 平21-8-オ

司法書士法人Aの使用人である司法書士Bが、Cの依頼を受けてDを相手方とする簡裁訴訟代理等関係業務に関する事件を受任している。この場合、Aは、Dの依頼を受けて、当該事件についての裁判書類作成関係業務を行ってはならない。

× **038**

司法書士法人の使用人である司法書士は、当該司法書士法人が相手方から簡裁訴訟代理等関係業務に関するものとして受任している事件について、相手方の依頼を受けて裁判書類を作成することはできない（22Ⅱ③）。

× **039**

司法書士は、司法書士法人の使用人として自ら関与した裁判書類作成関係業務に関しては、依頼者の同意の有無にかかわらず、個人の司法書士として当該事件に関する相手方の裁判書類作成関係業務を受任することはできない（22Ⅱ②）。

○ **040**

司法書士法人の使用人が相手方から簡裁訴訟代理等関係業務に関するものとして受任している事件について、司法書士法人は裁判書類作成関係業務を行うことはできない（41Ⅰ②）。

041 □□□ 平24-8-イ

社員が３人ある司法書士法人において、社員であるＡのみが社員となる前に個人の司法書士としてＸの依頼を受けて裁判書類作成業務を受任していた場合には、当該司法書士法人が当該裁判書類作成業務に係る事件のＸの相手方であるＹから受任した当該事件に関する裁判書類作成業務について、社員であるＡが担当することはできない。

042 □□□ 平24-8-オ（令3-8-エ）

複数の従たる事務所を有する司法書士法人は、ある従たる事務所においてＸの依頼を受けて裁判書類作成業務を受任していた場合にあっても、他の従たる事務所においてであれば、当該裁判書類作成業務に係る事件のＸの相手方であるＹから、当該事件に関する裁判書類作成業務を受任することができる。

043 □□□ 平20-8-エ

司法書士は、司法書士法人の社員となっている間は、司法書士会を退会しなければならない。

044 □□□ 平22-8-ア

司法書士法人が業務の一部の停止の処分を受けた場合には、その処分を受けた日以前30日以内に当該司法書士法人の社員であった者は、当該業務の一部の停止の期間を経過しない限り、他の司法書士法人の社員となることができない。

○ **041**

司法書士は、裁判書類作成業務を受任した事件について、その相手方の依頼を受けて、裁判書類作成業務を行ってはいけない（22Ⅱ①）。そして当該規定は、司法書士が個人として業務を行うことができない事件に関して、司法書士法人の担当者として関与することも制限していると解される。

× **042**

司法書士法人は、裁判書類作成業務を受任した事件について、その相手方の依頼を受けて、裁判書類作成業務を行ってはいけない（41Ⅰ①）。したがって、ある従たる事務所で裁判書類作成業務を受任した場合、他の従たる事務所で当該事件の相手方の依頼を受けて、裁判書類作成業務を行うことはできない。

× **043**

司法書士会の会員でない者は、司法書士法人の社員の欠格事由とされている（28Ⅱ③）ため、司法書士は、司法書士法人の社員となっている間も、司法書士会の会員でなければならないことになる。

× **044**

司法書士法人が業務の一部の停止の処分を受けた場合には、社員の欠格事由には該当しないため、他の司法書士法人の社員となることができる。

045 □□□ 令4-8-イ

司法書士法に基づく業務の停止の処分を受けた司法書士は、当該業務の停止の期間が経過した日から3年を経過するまでの間、司法書士法人の社員となることができない。

046 □□□ 平28-8-オ

司法書士法人Xが業務の全部の停止の処分を受けた場合において、当該処分の日にYがXの社員であったときは、Yは、司法書士法人Xの業務の全部の停止の期間を経過した後でなければ、他の司法書士法人の社員となることができない。

047 □□□ 平22-8-イ

司法書士法人の社員は、簡裁訴訟代理等関係業務に関して依頼者に対して負担することとなった債務以外の司法書士法人の債務について、司法書士法人の財産をもって完済することができないときは、連帯して、その弁済の責任を負う。

048 □□□ 平22-8-ウ

司法書士法人の社員は、司法書士の登録が取り消された場合及び司法書士法に定められている社員の欠格事由に該当することとなった場合を除いて、その意思に反して当該司法書士法人を脱退することはない。

049 □□□ 平26-8-エ

司法書士法人は、その主たる事務所に社員を常駐させなければならないが、その従たる事務所には社員を常駐させる必要はない。

× **045**

業務の停止の処分（司書47②）を受け、当該業務の停止の期間を経過しない者は、司法書士法人の社員となることができない(28Ⅱ①)。

○ **046**

司法書士法人が業務の全部の停止の処分を受けた場合において、その処分を受けた日以前30日内にその社員であった者で、当該業務の全部の停止の期間を経過しないものは、他の司法書士法人の社員となることができない（28Ⅱ②)。

○ **047**

司法書士法人の各社員は、簡裁訴訟代理等関係業務に関して依頼者に対して負担することとなった債務以外の司法書士法人の債務について、司法書士法人の財産をもって完済することができない場合は、連帯して弁済の責任を負う（38Ⅰ・Ⅳ)。

× **048**

司法書士法人の社員は、①司法書士の登録が取り消された場合、②定款に定める理由が発生した場合、③総社員の同意がある場合、④欠格事由に該当することとなった場合、⑤除名された場合、に司法書士法人を脱退する（43)。

× **049**

司法書士法人は、その事務所に、当該事務所の所在地を管轄する法務局又は地方法務局の管轄区域内に設立された司法書士会の会員である社員を常駐させなければならない（39）が、このことは主たる事務所と従たる事務所とで変わりはない。

050 □□□ 平23-8-エ

簡裁訴訟代理等関係業務を行うことを目的とする司法書士法人にあっては、司法書士法第３条第２項に規定する司法書士である社員が常駐していない事務所においても、司法書士法第３条第２項に規定する司法書士である使用人を常駐させれば、簡裁訴訟代理等関係業務を取り扱うことができる。

051 □□□ 平22-8-エ

司法書士法人は、従たる事務所を新たに設ける場合において、当該事務所の周辺における司法書士の分布状況その他の事情に照らして相当と認められるときは、当該事務所の所在する地域の司法書士会の許可を得た上で、社員が常駐しない従たる事務所を設けることができる。

052 □□□ 平22-8-オ（平30-8-ウ）

司法書士法人は、定款の定めをもってしても、一部の社員について、出資のみを行い、業務執行権を有しないものとすることはできない。

× **050**

簡裁訴訟代理等関係業務を行うことを目的とする司法書士法人は、特定社員（3条2項に規定する司法書士である社員）が常駐していない事務所においては、簡裁訴訟代理等関係業務を取り扱うことはできない（40）。

× **051**

司法書士法人は、その事務所に、当該事務所の所在地を管轄する法務局又は地方法務局の管轄区域内に設立された司法書士会の会員である社員を常駐させなければならない（39）。

○ **052**

司法書士法人の社員は、すべて業務を執行する権利を有し、義務を負う（36Ⅰ）。

5 懲戒

053 □□□ 平19-8-ア

司法書士法第２条は、「司法書士は、常に品位を保持し、業務に関する法令及び実務に精通して、公正かつ誠実にその業務を行わなければならない。」と司法書士の職責について定めているが、これは訓示規定であるので、同条違反を理由に懲戒処分を受けることはない。

054 □□□ 平19-8-イ（平23-8-オ）

司法書士又は司法書士法人が司法書士会又は日本司法書士会連合会の会則に違反する行為を行った場合には、これらの会則の遵守義務を定めた司法書士法違反を理由に懲戒処分を受けることがある。

055 □□□ 平19-8-ウ（平28-8-エ）

法務大臣は、司法書士法人に対する懲戒処分として、当該司法書士法人の解散を命ずる処分をすることができる。

056 □□□ 平19-8-エ（平30-8-エ、令5-8-ウ）

司法書士法人の社員である司法書士が当該司法書士法人の業務について司法書士法に違反する行為を行った場合には、当該行為について、当該司法書士法人が懲戒処分を受けることはあるが、当該行為を行った当該司法書士法人の社員である司法書士が重ねて懲戒処分を受けることはない。

× **053**

司法書士が司法書士法又は司法書士法に基づく命令に違反したときは、法務大臣は、当該司法書士に対し、懲戒の処分をすることができる（47）。そして、司法書士が2条に違反して、その品位を害し、又は公正かつ誠実に業務を行わない場合には、2条違反を理由として懲戒事由となる。

○ **054**

司法書士は、その所属する司法書士会及び日本司法書士会連合会の会則を守らなければならない（23）。そして、23条は司法書士法人に準用されている（46Ⅰ）。したがって、司法書士又は司法書士法人が、司法書士会又は日本司法書士会連合会の会則違反の行為を行った場合には、23条違反を理由として懲戒事由となる（47・48）。

○ **055**

司法書士法人が司法書士法又は司法書士法に基づく命令に違反したときは、法務大臣は、当該司法書士法人に対し、戒告、2年以内の業務の全部又は一部の停止、解散の処分をすることができる（48Ⅰ）。

× **056**

司法書士法は、社員である司法書士に対する懲戒処分とは別に、司法書士法人に対する懲戒処分制度を設けている（47・48）。このため、司法書士法人の社員である司法書士が当該司法書士法人の業務について司法書士法に違反する行為を行った場合には、当該行為について、当該司法書士法人が懲戒処分を受けることもあるし、当該行為を行った当該司法書士が重ねて懲戒処分を受けることもある。

057 □□□ 令5-8-エ

法務大臣は、司法書士に対し、戒告の処分をしようとする場合には、当該司法書士の聴聞を行わなければならない。

058 □□□ 平19-8-オ

司法書士又は司法書士法人の懲戒処分については、法務大臣によって、その旨が官報をもって公告される。

○ **057**

法務大臣は、司書法47条1号に掲げる戒告の処分をするときは、行手法13条1項の規定による意見陳述のための手続の区分にかかわらず、聴聞を行わなければならない（司書49Ⅲ）。

○ **058**

法務大臣は懲戒処分を行ったときは、遅滞なく、その旨を官報をもって公告しなければならない（51）。

❻ 司法書士会

059 □□□ 平31-8-ア

司法書士会は、会員の品位を保持し、その業務の改善進歩を図るため、会員の指導及び連絡に関する事務を行い、並びに司法書士の登録に関する事務を行うことを目的とする。

060 □□□ 平31-8-イ

司法書士会は、所属の会員の業務に関する紛議について、当該会員又は当事者その他関係人の請求がある場合には、その紛議に係る調停をすることができる。

061 □□□ 平31-8-ウ

司法書士会は、所属の会員から補助者を置いた旨の届出がされた場合には、その旨を日本司法書士会連合会に通知しなければならない。

司法書士会連合会

062 □□□ 平26-8-ウ（令3-8-オ）

司法書士は、日本司法書士会連合会にあらかじめ届け出ることにより、二以上の事務所を設けることができる。

× **059**

司法書士会は、会員の品位を保持し、その業務の改善進歩を図るため、会員の指導及び連絡に関する事務を行うことを目的とする(52Ⅱ)。したがって、司法書士の登録に関する事務を行うことを目的としていない。

○ **060**

司法書士会は、所属の会員の業務に関する紛議につき、当該会員又は当事者その他関係人の請求により調停をすることができる(59)。

× **061**

司法書士は、補助者を置いたときは、遅滞なく、その旨を所属の司法書士会に届け出なければならない（司書施規25Ⅱ）。そして、司法書士会は、その届出があったときは、その旨をその司法書士会の事務所の所在地を管轄する法務局又は地方法務局の長に通知しなければならない（司書施規25Ⅲ）。

× **062**

司法書士は、法務省令で定める基準に従い、事務所を設けなければならず（20）、二以上の事務所を設けることができない（司書施規19）。

《主要参考文献一覧》

共通

＊「ジュリスト」(有斐閣)
＊「判例時報」(判例時報社)
＊「重要判例解説」(有斐閣)
＊「法律時報別冊私法判例リマークス」(日本評論社)

民事訴訟法

＊兼子一＝松浦馨＝新堂幸司＝竹下守夫著「条解・民事訴訟法」〔第２版〕(弘文堂)
＊新堂幸司著「新民事訴訟法」第６版(弘文堂)
＊「基本法コンメンタール新民事訴訟法１・２・３〔第３版追補版〕」(日本評論社)
＊「注釈民事訴訟法(1)～(9)」(有斐閣)
＊「Q & A〔新版〕平成16年4月1日施行民事訴訟法の要点」(新日本法規出版)
＊高橋宏志＝高田裕成＝畑瑞穂編「民事訴訟法判例百選〔第５版〕」(有斐閣)
＊飯倉一郎著「やさしい民事訴訟法〔第４版〕」(法学書院)
＊伊藤眞著「民事訴訟法〔第７版〕」(有斐閣)
＊上田徹一郎著「民事訴訟法〔第７版〕」(法学書院)
＊裁判所職員総合研修所監修「民事訴訟法講義案〔３訂版〕」(司法協会)
＊高橋宏志著「重点講義民事訴訟法(上) 第２版補訂版」(有斐閣)
＊高橋宏志著「重点講義民事訴訟法(下) 第２版補訂版」(有斐閣)
＊中野貞一郎＝松浦馨＝鈴木正裕編「新民事訴訟法講義〔第３版〕」(有斐閣)
＊林屋礼二著「新民事訴訟法概要〔第２版〕」(有斐閣)
＊松本博之＝上野泰男著「民事訴訟法」〔第８版〕(弘文堂)

民事執行法・民事保全法

＊「基本法コンメンタール民事執行法〔第６版〕」(日本評論社)
＊「注解民事保全法上・下」(青林書院)
＊「一問一答新民事保全法」(社団法人商事法務研究会)
＊裁判所職員総合研修所監修「民事執行実務講義案〔改訂再訂版〕」(司法協会)
＊飯倉一郎著「やさしい民事執行法・民事保全法〔第５版〕」(法学書院)
＊須藤典明＝深見敏正＝金子直史著「リーガルプログレッシブシリーズ民事保全〔４訂版〕」(青林書院)
＊山崎潮著「新民事保全法の解説〔増補改訂版〕」(社団法人金融財政事情研究会)
＊上原敏夫＝長谷部由起子＝山本和彦著「民事執行・保全法〔第６版〕」(有斐閣アルマ)

＊中野貞一郎編「民事執行・保全法概説〔第３版〕」（有斐閣双書）
＊中野貞一郎著「民事執行法〔増補新訂６版〕」（青林書院）
＊「新基本法コンメンタール民事保全法」（日本評論社）
＊「新基本法コンメンタール民事執行法」（日本評論社）

供託法

＊法務省民事局第四課監修「実務供託法入門」（きんざい）
＊法務省民事局第四課職員編「新版供託事務先例解説」（社団法人商事法務研究会）
＊法務省民事局第四課編「供託法供託規則逐条解説」（テイハン）
＊遠藤浩＝柳田幸三編「供託先例判例百選〔第２版〕」（有斐閣）
＊法務省民事局第四課職員編「供託関係先例要旨集」（テイハン）
＊石坂次男＝高橋巌補訂「詳解供託制度（改訂二版）」（日本加除出版）
＊立花宣男監修＝福岡法務局ブロック管内供託実務研究会編「実務解説供託の知識167問」（日本加除出版）
＊水田耕一著「新供託読本（第７新版）」（社団法人商事法務研究会）
＊「登記研究」（テイハン）

司法書士法

＊小林昭彦＝河合芳光＝村松秀樹著「注釈司法書士法〔第４版〕」（テイハン）

令和７年版 司法書士 合格ゾーン ポケット判 択一過去問肢集
8民事訴訟法・民事執行法・民事保全法・供託法・司法書士法

2021年12月15日　第１版　第１刷発行
2024年10月15日　第４版　第１刷発行

編著者●株式会社　東京リーガルマインド
LEC総合研究所　司法書士試験部

発行所●株式会社　東京リーガルマインド
〒164-0001　東京都中野区中野4-11-10
アーバンネット中野ビル
LECコールセンター　0570-064-464
受付時間　平日9：30～19：30/土・日・祝10：00～18：00
※このナビダイヤルは通話料お客様ご負担となります。
書店様専用受注センター　TEL 048-999-7581 / FAX 048-999-7591
受付時間　平日9：00～17：00/土・日・祝休み
www.lec-jp.com/

印刷・製本●情報印刷株式会社

ISBN978-4-8449-6323-3

司法書士講座のご案内

新15ヵ月合格コース

短期合格のノウハウが詰まったカリキュラム

LECが初めて司法書士試験の学習を始める方に自信をもってお勧めする講座が新15ヵ月合格コースです。司法書士受験指導40年以上の積み重ねたノウハウと、試験傾向の徹底的な分析により、これだけ受講すれば合格できるカリキュラムとなっております。司法書士試験対策は、毎年一発・短期合格を輩出してきたLECにお任せください。

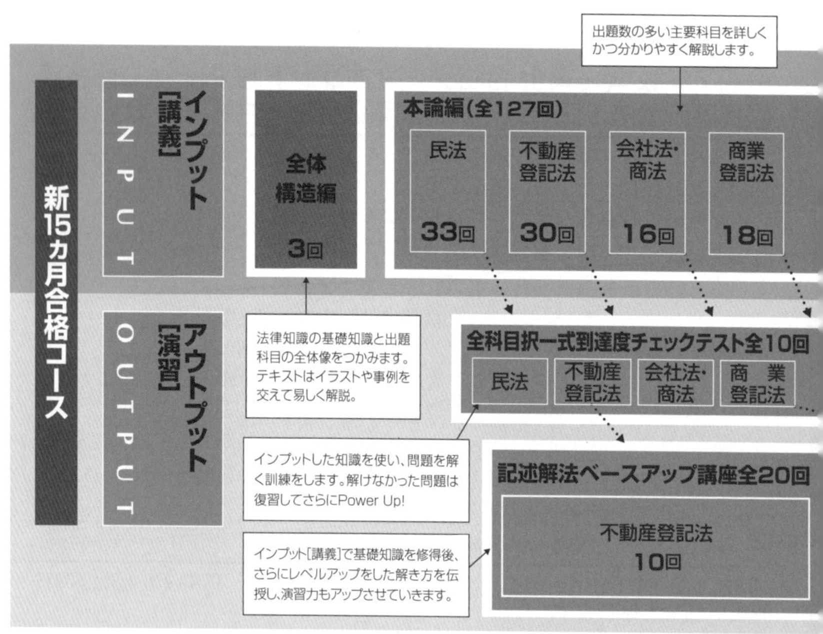

インプットとアウトプットのリンクにより短期合格を可能に！

合格に必要な力は、適切な情報収集（インプット）→知識定着（復習）→実践による知識の確立（アウトプット）という３つの段階を経て身に付くものです。新15ヵ月合格コースではインプット講座に対応したアウトプットを提供し、これにより短期合格が確実なものとなります。

OUTPUT 合格ゾーンシリーズ

合格ゾーン過去問題集

択一式：全10巻
記述式：全2巻

直近の本試験問題を含む過去の司法書士試験問題を体系別に収録した、LEC定番の過去問題集

合格ゾーン過去問題集

単年度版

本試験の傾向と対策を年度別に徹底解説。受験者動向を分析した各種データも掲載

合格ゾーンポケット判 択一過去問肢集

全8巻

厳選された過去問の肢を体系別に分類。持ち運びに便利なB6判過去問肢集

合格ゾーン 当たる！直前予想模試

問題・答案用紙ともに取り外しができるLECの予想模試をついに書籍化
LEC門外不出の問題ストックから、予想問題を厳選

※本内容は2024年8月1日現在のものであり、変更になる場合があります。予めご了承ください。

書籍訂正情報のご案内

平素は、LECの講座・書籍をご利用いただき、ありがとうございます。

LECでは、司法書士受験生の皆様に正確な情報をご提供するため、書籍の制作に際しては、慎重なチェックを重ね誤りのないものを制作するよう努めております。しかし、法改正や本試験の出題傾向などの最新情報を、一刻も早く受験生に提供することが求められる受験教材の性格上、残念ながら現時点では、一部の書籍について、若干の誤りや誤字などが生じております。

ご利用の皆様には、ご迷惑をお掛けしますことを深くお詫び申し上げます。

書籍発行後に判明いたしました訂正情報については、以下のウェブサイトの「書籍　訂正情報」に順次掲載させていただきます。

書籍に関する訂正情報につきましては、お手数ですが、こちらにてご確認いただければと存じます。

書籍訂正情報 ウェブサイト

https://www.lec-jp.com/shoshi/book/emend.shtml

スマートフォン・タブレットから簡単アクセス！ ▷▷▷

自慢の メールマガジン 配信中！（登録無料）

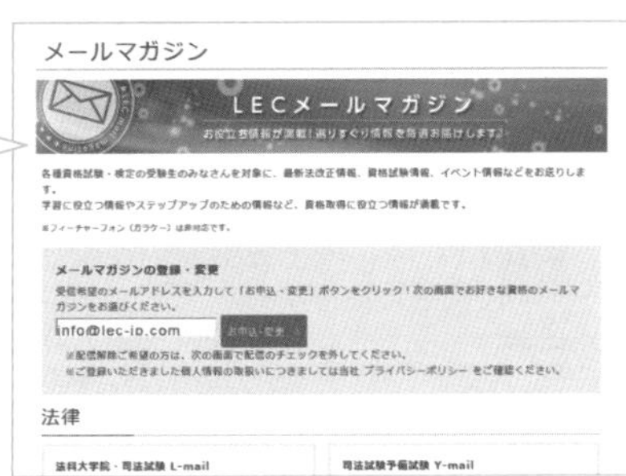

LEC講師陣が毎週配信！　最新情報やワンポイントアドバイス，改正ポイントなど合格に必要な知識をメールにて毎週配信。

www.lec-jp.com/mailmaga/

LEC オンラインショップ

充実のラインナップ！　LECの書籍・問題集や講座などのご注文がいつでも可能です。また、割引クーポンや各種お支払い方法をご用意しております。

online.lec-jp.com/

LEC 電子書籍シリーズ

LECの書籍が電子書籍に！　お使いのスマートフォンやタブレットで，いつでもどこでも学習できます。

※動作環境・機能につきましては，各電子書籍ストアにてご確認ください。

www.lec-jp.com/ebook/

LEC書籍・問題集・レジュメの紹介サイト **LEC書籍部** **www.lec-jp.com/system/book/**

- LECが出版している書籍・問題集・レジュメをご紹介
- 当サイトから書籍などの直接購入が可能（＊）
- 書籍の内容を確認できる「チラ読み」サービス
- 発行後に判明した誤字等の訂正情報を公開

＊商品をご購入いただく際は，事前に会員登録（無料）が必要です。
＊購入金額の合計・発送する地域によって，別途送料がかかる場合がございます。

※資格試験によっては実施していないサービスがありますので，ご了承ください。

LEC全国学校案内

＊講座のお問合せ，受講相談は最寄りのLEC各校へ

LEC本校

北海道・東北

札　幌本校 ☎011(210)5002
〒060-0004 北海道札幌市中央区北4条西5-1　アスティ45ビル

仙　台本校 ☎022(380)7001
〒980-0022 宮城県仙台市青葉区五橋1-1-10　第二河北ビル

関東

渋谷駅前本校 ☎03(3464)5001
〒150-0043 東京都渋谷区道玄坂2-6-17　渋東シネタワー

池　袋本校 ☎03(3984)5001
〒171-0022 東京都豊島区南池袋1-25-11　第15野萩ビル

水道橋本校 ☎03(3265)5001
〒101-0061 東京都千代田区神田三崎町2-2-15　Daiwa三崎町ビル

新宿エルタワー本校 ☎03(5325)6001
〒163-1518 東京都新宿区西新宿1-6-1　新宿エルタワー

早稲田本校 ☎03(5155)5501
〒162-0045 東京都新宿区馬場下町62　三朝庵ビル

中　野本校 ☎03(5913)6005
〒164-0001 東京都中野区中野4-11-10　アーバンネット中野ビル

立　川本校 ☎042(524)5001
〒190-0012 東京都立川市曙町1-14-13　立川MKビル

町　田本校 ☎042(709)0581
〒194-0013 東京都町田市原町田4-5-8　MIキューブ町田イースト

横　浜本校 ☎045(311)5001
〒220-0004 神奈川県横浜市西区北幸2-4-3　北幸GM21ビル

千　葉本校 ☎043(222)5009
〒260-0015 千葉県千葉市中央区富士見2-3-1　塚本大千葉ビル

大　宮本校 ☎048(740)5501
〒330-0802 埼玉県さいたま市大宮区宮町1-24　大宮GSビル

東海

名古屋駅前本校 ☎052(586)5001
〒450-0002 愛知県名古屋市中村区名駅4-6-23　第三堀内ビル

静　岡本校 ☎054(255)5001
〒420-0857 静岡県静岡市葵区御幸町3-21　ペガサート

北陸

富　山本校 ☎076(443)5810
〒930-0002 富山県富山市新富町2-4-25　カーニープレイス富山

関西

梅田駅前本校 ☎06(6374)5001
〒530-0013 大阪府大阪市北区茶屋町1-27　ABC-MART梅田ビル

難波駅前本校 ☎06(6646)6911
〒556−0017 大阪府大阪市浪速区湊町1-4-1
大阪シティエアターミナルビル

京都駅前本校 ☎075(353)9531
〒600-8216 京都府京都市下京区東洞院通七条下ル2丁目
東塩小路町680-2　木村食品ビル

四条烏丸本校 ☎075(353)2531
〒600-8413　京都府京都市下京区烏丸通仏光寺下ル
大政所町680-1　第八長谷ビル

神　戸本校 ☎078(325)0511
〒650-0021 兵庫県神戸市中央区三宮町1-1-2　三宮セントラルビル

中国・四国

岡　山本校 ☎086(227)5001
〒700-0901 岡山県岡山市北区本町10-22　本町ビル

広　島本校 ☎082(511)7001
〒730-0011 広島県広島市中区基町11-13　合人社広島紙屋町アネクス

山　口本校 ☎083(921)8911
〒753-0814 山口県山口市吉敷下東 3-4-7　リアライズⅢ

高　松本校 ☎087(851)3411
〒760-0023 香川県高松市寿町2-4-20　高松センタービル

松　山本校 ☎089(961)1333
〒790-0003 愛媛県松山市三番町7-13-13　ミツネビルディング

九州・沖縄

福　岡本校 ☎092(715)5001
〒810-0001　福岡県福岡市中央区天神4-4-11　天神ショッパーズ福岡

那　覇本校 ☎098(867)5001
〒902-0067 沖縄県那覇市安里2-9-10　丸姫産業第2ビル

EYE関西

EYE 大阪本校 ☎06(7222)3655
〒530-0013　大阪府大阪市北区茶屋町1-27　ABC-MART梅田ビル

EYE 京都本校 ☎075(353)2531
〒600-8413　京都府京都市下京区烏丸通仏光寺下ル
大政所町680-1　第八長谷ビル

【LEC公式サイト】www.lec-jp.com/

LEC提携校

北海道・東北

八戸中央校【提携校】 ☎0178(47)5011
〒031-0035　青森県八戸市寺横町13　第1朋友ビル　新教育センター内

弘前校【提携校】 ☎0172(55)8831
〒036-8093　青森県弘前市城東中央1-5-2
まなびの森　弘前城東予備校内

秋田校【提携校】 ☎018(863)9341
〒010-0964　秋田県秋田市八橋鯲沼町1-60
株式会社アキタシステムマネジメント内

関東

水戸校【提携校】 ☎029(297)6611
〒310-0912　茨城県水戸市見川2-3079-5

所沢校【提携校】 ☎050(6865)6996
〒359-0037　埼玉県所沢市くすのき台3-18-4　所沢K・Sビル
合同会社LPエデュケーション内

日本橋校【提携校】 ☎03(6661)1188
〒103-0025　東京都中央区日本橋茅場町2-5-6　日本橋大江戸ビル
株式会社大江戸コンサルタント内

東海

沼津校【提携校】 ☎055(928)4621
〒410-0048　静岡県沼津市新宿町3-15　萩原ビル
M-netパソコンスクール沼津校内

北陸

新潟校【提携校】 ☎025(240)7781
〒950-0901　新潟県新潟市中央区弁天3-2-20　弁天501ビル
株式会社大江戸コンサルタント内

金沢校【提携校】 ☎076(237)3925
〒920-8217　石川県金沢市近岡町845-1　株式会社アイ・アイ・ピー金沢内

福井南校【提携校】 ☎0776(35)8230
〒918-8114　福井県福井市羽水2-701　株式会社ヒューマン・デザイン内

関西

和歌山駅前校【提携校】 ☎073(402)2888
〒640-8342　和歌山県和歌山市友田町2-145
KEG教育センタービル　株式会社KEGキャリア・アカデミー内

＊提携校はLECとは別の経営母体が運営をしております。
＊提携校は実施講座およびサービスにおいてLECと異なる部分がございます。

中国・四国

松江殿町校【提携校】 ☎0852(31)1661
〒690-0887　島根県松江市殿町517　アルファステイツ殿町
山路イングリッシュスクール内

岩国駅前校【提携校】 ☎0827(23)7424
〒740-0018　山口県岩国市麻里布町1-3-3　岡村ビル　英光学院内

新居浜駅前校【提携校】 ☎0897(32)5356
〒792-0812　愛媛県新居浜市坂井町2-3-8　パルティフジ新居浜駅前店内

九州・沖縄

佐世保駅前校【提携校】 ☎0956(22)8623
〒857-0862　長崎県佐世保市白南風町5-15　智翔館内

日野校【提携校】 ☎0956(48)2239
〒858-0925　長崎県佐世保市椎木町336-1　智翔館日野校内

長崎駅前校【提携校】 ☎095(895)5917
〒850-0057 長崎県長崎市大黒町10-10　KoKoRoビル
minatoコワーキングスペース内

高原校【提携校】 ☎098(989)8009
〒904-2163　沖縄県沖縄市大里2-24-1
有限会社スキップヒューマンワーク内

※上記は2024年9月1日現在のものです。

書籍の訂正情報について

このたびは，弊社発行書籍をご購入いただき，誠にありがとうございます。
万が一誤りの箇所がございましたら，以下の方法にてご確認ください。

1 訂正情報の確認方法

書籍発行後に判明した訂正情報を順次掲載しております。
下記Webサイトよりご確認ください。

www.lec-jp.com/system/correct/

2 ご連絡方法

上記Webサイトに訂正情報の掲載がない場合は，下記Webサイトの
入力フォームよりご連絡ください。

lec.jp/system/soudan/web.html

フォームのご入力にあたりましては，「Web教材・サービスのご利用について」の
最下部の「ご質問内容」に下記事項をご記載ください。

- 対象書籍名（○○年版，第○版の記載がある書籍は併せてご記載ください）
- ご指摘箇所（具体的にページ数と内容の記載をお願いいたします）

ご連絡期限は，次の改訂版の発行日までとさせていただきます。
また，改訂版を発行しない書籍は，販売終了日までとさせていただきます。

※上記「2ご連絡方法」のフォームをご利用になれない場合は，①書籍名，②発行年月日，③ご指摘箇所，を記載の上，郵送にて下記送付先にご送付ください。確認した上で，内容理解の妨げとなる誤りについては，訂正情報として掲載させていただきます。なお，郵送でご連絡いただいた場合は個別に返信しておりません。

送付先：〒164-0001 東京都中野区中野4-11-10 アーバンネット中野ビル
株式会社東京リーガルマインド 出版部 訂正情報係

- 誤りの箇所のご連絡以外の書籍の内容に関する質問は受け付けておりません。
また，書籍の内容に関する解説，受験指導等は一切行っておりませんので，あらかじめご了承ください。
- お電話でのお問合せは受け付けておりません。

講座・資料のお問合せ・お申込み

LECコールセンター 0570-064-464

受付時間：平日9:30～19:30/土・日・祝10:00～18:00

※このナビダイヤルの通話料はお客様のご負担となります。
※このナビダイヤルは講座のお申込みや資料のご請求に関するお問合せ専用ですので，書籍の正誤に関するご質問をいただいた場合，上記「2ご連絡方法」のフォームをご案内させていただきます。